*l*ibretto

LA VIE COMMENCE
À SOIXANTE ANS

BERNARD OLLIVIER

LA VIE COMMENCE À SOIXANTE ANS

*l*ibretto

CE LIVE A ÉTÉ ÉDITÉ PAR
MADAME AGNÈS MONNERET

© Éditions Phébus, Paris, 2008.

I.S.B.N. : 978-2-7529-0762-2

Six jours après avoir pris sa retraite, en avril 1998, déprimé et inconsolable de la mort de sa femme, ses enfants devenus adultes, Bernard Ollivier part à pied de Paris jusqu'à Compostelle afin de décider de ce qu'il va faire de sa vie. Arrivé au but, après 2 300 kilomètres parcourus, il revient avec deux projets : s'occuper de jeunes en grande difficulté en les reconstruisant par la marche, comme il vient de le faire pour lui-même, et continuer à avancer sur une route d'Histoire. Il entame en avril 1999 le voyage à pied sur la route de la Soie (12 000 kilomètres) et donne naissance en 2000 à l'association Seuil, dédiée à l'aide aux jeunes délinquants, qui leur propose le voyage comme une alternative à la prison.

*À ma joyeuse et nombreuse famille,
à mes sœurs, mes nièces, mes neveux
et Ariane qui élargit le cercle.*

Avant-propos

Retraité! Voici dix ans maintenant que je me suis glissé – fort malaisément – dans ce costume un peu vague, dans ce statut qui n'est ni un état, ni une condition, ni une classe, encore moins une situation et certainement pas une profession. Nous sommes néanmoins des millions à le vivre et même à être payés pour cela, plus ou moins bien. Si ce n'est pas un état, est-ce un état d'esprit?

Pour ma part, cela fait une dizaine d'années que je raconte à des milliers de gens ici et là, en France et à l'étranger, et pas seulement à des pensionnés, ma vie de retraité un peu particulier. On m'a demandé de l'écrire. Mon parcours, certes un peu hors norme, n'a pourtant rien de miraculeux. Commencée comme une fuite, suivie par une aventure au bout du monde, puis prise dans une chaîne d'amitiés et d'espoirs, mon histoire a-t-elle une portée si générale qu'elle mérite d'être contée ? Quoi qu'en pensent certains de mes lecteurs, je refuse le titre de héros après mon odyssée sur la route de la Soie. Ce que j'ai fait, tout le monde peut le faire. Il s'agissait tout benoîtement de mettre un pied devant l'autre et de recommencer, et cela environ quinze millions de fois. Ça se fait depuis des millénaires sans que quiconque en tire vanité. Ce n'était pas le but qui me portait, mais le chemin. Bien sûr, il m'a fallu un brin d'inconscience pour partir et de la chance pour en revenir, avec entre les deux une grande dose d'obstination. Cela tient sans doute à mon ascendance bretonne, à moi le Normand.

Depuis que je suis sur la liste des bénéficiaires de la Caisse nationale d'assurance vieillesse (la CNAV pour les nombreux initiés), je vis dans un rêve, même si le début fut difficile. La retraite, pour certains, peut être un drame. Certains en meurent, d'autres sombrent. D'autres enfin passent à côté et, s'ils ne réagissent pas rapidement, constatent comme le chantait Jeanne Moreau qu'«hélas il est trop tard pour tordre son mouchoir». Car après la retraite, faut-il le rappeler, c'est la terre froide du cimetière pour les uns, le brûleur du four cré-matoire pour les autres. «C'est merveilleux la vieillesse… dommage que ça finisse si mal!» disait François Mauriac. Alors, à tant faire, autant ne pas rester les deux pieds dans le même sabot avant le triste final. Pourquoi nous abîmer dans de pseudo-vacances, un long engourdissement, alors que le repos éternel nous attend?

Si mon parcours peut donner quelques idées sur la manière de vivre sa retraite à certains des millions de baby-boomers qui cessent ou cesseront leur activité professionnelle maintenant ou dans les années à venir, alors, en effet il ne me faut plus seulement raconter, il me faut écrire. Mettre noir sur blanc que la retraite n'est pas une mise en retrait, à l'écart de la société, même si le vocabulaire administratif et marketing nous fait passer du statut d'actif à celui d'inactif, un terme infamant pour quelqu'un qui, comme moi, bouge sans arrêt.

Ne nous laissons pas abuser : la retraite, c'est formidable. C'est, dans une vie, de femme ou d'homme, un moment privilégié de liberté totale. Une vie choisie et non imposée comme l'ont été nos vies passées d'adolescents ou d'adultes «actifs». Si j'en crois les sondages, 5 % des divorces sont le fait d'octogénaires, mais cette prise de liberté peut aller bien plus loin pour certains, petits vieux ou petites vieilles «indignes» qui s'évadent pour une aventure tardive. Rien d'étonnant à cela. La retraite, période de tous les possibles, est la porte ouverte à tous les défis, même les plus fous [1].

Nous, habitants occidentaux de la planète Terre, vivons en ce début de troisième millénaire une période exceptionnelle. En France, jusqu'à une date récente, on était vieux à 60 ans, dépendant de sa famille ou de la charité publique. Ceux qui passaient le cap n'avaient d'autre choix que d'attendre au coin de la cheminée, en tisonnant les braises et leurs souvenirs, la décrépitude et la fin. Bienheureux si la maladie ne transformait pas leur retraite en une longue souffrance et si la providence se contentait de leur infliger ces «douleurs» qui devenaient le centre de leurs conversations. Aujourd'hui, je connais cent «vieux» ou «vieilles» de 60 ans capables de s'aligner au départ d'un marathon, d'aider leurs petits-enfants à pénétrer les arcanes de la géométrie dans l'espace ou de savourer le génie de François Villon tout en apprenant le violoncelle.

La retraite est l'âge d'or. Mais aussi l'âge ultime. Le moment où l'on prend pleinement conscience de sa fragilité. Elle est à la fois porteuse de vie active et de létalité. Cessons de présenter la tarte

---

1. Dans le film *La Vieille Dame indigne*, une femme au terme de sa vie choisit de vivre ses rêves en bravant les commérages.

à la crème du «bel avenir de la jeunesse». Celle-ci est le plus souvent intellectuellement incapable de se projeter dans l'avenir. Paradoxalement, c'est au moment où notre futur se rétrécit, se racornit, qu'on en prend pleinement conscience. Adossé au passé, on est mieux à même de penser à l'avenir, de penser l'avenir. Si les vieux s'avèrent capables de l'imaginer, pourquoi ne contribueraient-ils pas à sa construction?

Cet âge que l'on dit «troisième» est l'affaire la plus sérieuse de toute une vie. Aussi, l'erreur serait-elle de le confondre avec je ne sais quelles grandes vacances ou, pis encore, de l'envisager comme un repos. Ce «repos bien mérité» que, au moment du départ de votre entreprise, on vous sert avec le champagne et le lecteur de DVD, en vous poussant vers la sortie, sans même, le plus souvent, attendre l'âge de la retraite et tout en entonnant le grand couplet de la «valeur travail». «Repose-toi, vieux travailleur, tu l'as bien mérité. Désormais, ce sera tous les jours dimanche.» Fadaises. Dès le premier mois, tous les jours, jeudis ou dimanches, sont gris, vides et tristes si l'on n'a pas pris le soin de remplir le temps.

Ne pas se laisser piéger, surtout. La retraite est sans doute la période la plus fertile, la plus ressemblante à nous-mêmes, la plus importante de notre existence. Elle s'est bâtie à force d'apprentissages, d'expérimentations, de succès ou d'échecs pareillement formateurs, pour constituer un capital unique qu'il serait tellement stupide de laisser en friche. Il ne faut pas laisser enterrer les vieux dans une fuite langagière ridicule qui les traite de «seniors» ou qualifie leur âge de «troisième». Ces mots vous poussent sur une voie de garage ou au tombeau, bien qu'on ait pris soin de les riposliner avant usage. Laissons cela aux publicitaires et autres «marketeurs» qui caressent pour mieux berner. Employons à la rigueur le mot «aînés» qui a le mérite de nous conserver dans la famille. Nous sommes vieux, il ne faut pas en avoir honte, c'est un mot merveilleux, car il porte des valeurs qui s'appellent maturité, sagesse, équilibre, culture…

En 2050, un Terrien sur cinq aura plus de 60 ans. D'ici à 2012, 5,5 millions de Français prendront leur retraite. C'est la vague du baby-boom. Elle vient de loin. Ils sont nés des cendres d'une guerre atroce. Depuis leur naissance, la puissance de la vague qu'ils forment a tout fait exploser sous son poids. Alors qu'il était facile de prévoir la suite pour nos gouvernants, rien n'a été fait. Ils ont manqué d'écoles, puis de lycées, puis d'universités car on ne construisait que lorsqu'il était trop tard. Jouant à la révolution, ils ont allumé des feux de joie, fait sauter des pétards et voler des pavés en 1968. Plus récemment, ils ont été nombreux à gonfler les listes de l'ANPE, cette PME devenue une grande entreprise après les crises du dernier quart du XXe siècle. Va-t-il faire imploser les systèmes de retraite, le tsunami des papy-boomers? Ou, au contraire, apportera-t-il un élan, une imagination, une énergie neuve et libérée? Je parie pour la deuxième solution.

Chaque année, les vieux sont un peu plus nombreux. Ils ont, à ce titre, des devoirs. Raison pour ne pas se laisser aller à la douce langueur des croisières ou des siestes hors saison sous les palmiers, quand ces cochons de cotisants sont repartis dans leurs bureaux, leurs écoles et leurs usines. S'ils n'y prennent garde, les retraités marginalisés constitueront un boulet qui menacera d'entraîner la démocratie vers le fond. Des pessimistes prévoient la «guerre des âges». Laisser faire serait stupide et surtout injuste. Comment pourrait-on accepter que tant d'énergies vives, de savoirs et d'intelligences soient laissés en jachère au bord de la route? Je souhaite de toutes mes forces que nous, les aînés, prenions notre part dans l'évolution du monde et tentions, avec tout ce temps dont nous disposons, de lui redonner quelque beauté. Que nous construisions des ponts avec les générations qui nous suivent, celles de nos enfants et petits-enfants.

Que nous fournissions simplement notre part. Car la retraite n'est pas une fin. Elle constitue un fabuleux commencement. Contrairement à leur progéniture, les retraités ne sont pas individualistes. Ils se défendent mieux contre l'idée répandue par la publicité que le bonheur s'achète. Ayant grandi dans un monde différent, ils ne sont pas égoïstes. «Pour désirer laisser des traces dans le monde, il faut en être solidaire», a dit Simone de Beauvoir.

Aujourd'hui, après dix ans de réflexion, je peux dire aux retraités que la vie commence à 60 ans.

I

Se résigner ou résister

J'avais presque 60 ans. Je me sentais couler, sans que rien ni personne ne me raccroche à la vie. 60 ans, ce n'était pas seulement un anniversaire, un chiffre rond. C'était un tournant dangereux, une rupture, une voie sans issue visible. Une ouverture sur le désert. À la dizaine précédente, l'anniversaire m'avait semblé plus doux. Une petite sonnette d'alerte seulement : attention, tu passes sur le mauvais versant. Mais la vie avait repris son cours pendant un an, avant que le malheur ne frappe : la mort de ma femme, puis celle de ma mère et mon licenciement, le tout en quelques semaines. L'une avait guidé mes premiers pas et mon entrée dans la vie. L'autre avait donné un sens à mon existence et m'avait offert tant d'amour et deux beaux garçons. Danièle, la femme de ma vie, a rendu sa belle âme le jour de mes 51 ans. Sans doute a-t-elle voulu, connaissant ma distraction, que je n'oublie pas la date de sa disparition, comme j'oubliais celle de notre mariage. Pendant quinze ans, je n'ai plus fêté mon anniversaire, mais songé ce jour-là, chaque année, à tout ce qu'elle m'avait donné et qui me manque tant. Mes enfants entraient à l'université et j'ai tout de suite su qu'à mon âge je ne retrouverai pas un travail salarié. La peur du manque, cette maladie incurable de ceux qui dans leur enfance ont été pauvres, m'étreignait.

Fort heureusement, certains me reconnaissaient quelque capacité à torcher un papier, raconter une histoire, mener une enquête. Dix ans durant, j'ai couru. Rien ne m'arrêtait. Il fallait assurer les études de mes gamins, faire face aux échéances. Le chagrin m'empêchait de dormir, pas de travailler. Même la maladie ne m'arrêtait pas. Cloué dans mon lit pendant trois semaines par un mal de dos paralysant, je m'y suis installé avec le téléphone, le Minitel et l'ordinateur et j'ai livré mes papiers à l'heure. Le temps a passé. La douleur s'est assoupie même si, de temps à autre, elle se réveille méchamment, à l'approche de chacun de mes anniversaires.

Le coup de grâce est arrivé, un matin, sous la forme d'une lettre : «Le temps est venu, disait en substance l'imprimé impersonnel de la Sécurité sociale, de liquider votre retraite.» Les bras m'en sont tombés. «Liquidé», j'étais liquidé. Non par un régime stalinien mais par celui de la Sécu. J'ai cherché dans le dictionnaire les synonymes du mot «retraite»: déroute, asile, refuge. Comme les militaires ou les curés, voilà que j'étais enfermé, «en» retraite. Comme les grognards de Napoléon, je devenais un demi-solde du monde du travail. Personne n'y pouvait rien, seul l'âge en était la cause. Mon destin était tracé : il ne me restait plus qu'à suivre la voie du retraité, me rapprocher de Dieu ou du cimetière, au choix. En échange, puisque tout s'achète, on m'accordait quelques subsides. Certes, j'y avais droit. Plus soucieuse de ma carrière que je ne l'étais moi-même, la Sécurité sociale se souvenait que j'avais commencé à travailler à 16 ans. Terrassier, docker, employé de bureau, dessinateur industriel, garçon de café, pion, vendeur de vin au porte-à-porte, professeur d'éducation physique... puis journaliste, après des études d'autodidacte en pointillé. Ma vie professionnelle un peu chahutée était là, en dates et en revenus, transmutée par la Sécurité sociale en «semestres». Et j'en avais largement le compte. De là à accepter la retraite, il y avait plus qu'un pas, un gouffre. La retraite, c'était pour les autres. Pour les vieux. Pas pour moi.

J'étais jeune, moi, plein d'allant et d'énergie. Avec une furieuse envie de vivre. J'avais, comme on dit, «la forme» et je courais tous les jours ou presque pour la garder. À 58 ans, j'avais couru mon avant-dernier marathon, celui de New York. À 59 ans, pied de nez à la vieillesse rampante, je participais en Chine aux Foulées de la soie : trois semaines d'une folle épreuve, à travers déserts et montagnes, dans une chaleur moite, étouffante, la peau tannée par le soleil. La course se déroulait par étapes et se terminait par un parcours épuisant sur la Grande Muraille. J'en suis revenu crevé, mais content et, quinze jours plus tard, je m'alignais sur le joyeux marathon du Médoc.

Qu'est-ce qu'ils me bassinaient avec leur retraite? Non, je n'étais pas vieux. Ou alors juste un peu.

J'avais beau gigoter au bout de l'hameçon, j'étais bien pris. Ce qui m'avait fait vieillir, c'était la solitude. «L'enfer est tout entier dans ce mot : solitude», a écrit Victor Hugo, qui s'y connaissait en sentiments humains. Et il n'a pas été contredit par Verlaine : «Elle ne savait pas que l'enfer, c'est l'absence.» Seul, que pouvais-je attendre de la vie puisque même le mot espoir ne voulait plus rien dire. À quoi bon penser au futur puisque je n'étais plus capable que de conjuguer un passé composé, flou et douloureux. Danièle était partie brutalement et tous nos projets avec elle. Mes enfants, mes chers enfants, avaient quitté le nid. Non sans mal, car je m'accrochais un peu trop à eux, les envahissais. Ils m'avaient fait savoir que le «papa poule», ça ne durait qu'un temps. Dans mon appartement parisien devenu trop grand, allais-je errer à la recherche des souvenirs, du bonheur qui avait baigné ce lieu? Je ne me suis jamais complètement remis de la perte de ces matins lumineux où, le premier levé, je préparais le chocolat pour les garçons, le thé pour elle et le café pour moi. Lorsque tout fumait sur la table, j'allais faire la tournée des bisous sur des joues chaudes de la nuit, chuchotant de petits mots doux, un peu honteux de trancher le fil des rêves pour de mauvaises raisons, l'école ou le travail.

Lorsque cette lettre arrive, dans le grand vide de mon appartement, je suis seul. Après un certain nombre d'années de veuvage, j'ai bien noué quelques relations. Sans doute, déjà, fuyais-je une vieillesse que je redoutais. J'ai jeté la patte sur des femmes bien plus jeunes que moi. Il me semblait que je repoussais les limites, que «je ne faisais pas mon âge». Et je me suis fait prendre à mon propre piège. Elles voulaient un enfant. J'ai hésité. Les bébés me fascinent. Devant les gamins, je fonds de tendresse et les adolescents m'émeuvent avec leur acné et leurs angoisses existentielles. De là à faire un bébé à 55 ans ? L'expérience m'avait appris que pour porter un enfant du berceau jusqu'au seuil de l'existence, il fallait compter vingt-cinq ans. Autant dire signer un contrat de vie que je n'étais pas sûr d'honorer. Faire un enfant, oui, un orphelin, non. J'ai renoncé. Tant pis, j'attendrai que mes fils me fassent ce merveilleux cadeau, même s'il me faudrait patienter longtemps.

Je pouvais, bien entendu, continuer à travailler jusqu'à 65 ans. Les discours officiels nous disent qu'il faut travailler plus longtemps. Certes, mais quand va-t-on vivre ? Durant toute notre existence, on a bossé pour faire plaisir à ses parents, aux professeurs, au patron, à son conjoint, à ses enfants, trimé au nom de la raison, de la maison à payer, de la Nation. Assez, c'est assez. Il arrive un moment où l'on a le droit de travailler pour soi... à la condition de ne pas en profiter pour ne rien faire. Il n'était pas question de m'accrocher à ma profession. Il y avait tant de jeunes journalistes au chômage, je n'allais pas squatter la place. Et puis j'avais fait le tour du métier : quinze ans de journalisme politique, autant à l'économie. Depuis longtemps, j'avais compris que mes articles ne referaient pas le monde, même s'ils pouvaient aider à sa compréhension. Alors que faire ? Je mentirais en disant que je n'avais jamais pensé à ce qui m'attendait. Vers l'âge de 58 ans, j'ai ouvert un dossier sur lequel j'ai calligraphié «retraite». De temps à autre, j'y glissais une idée, un article découpé quelque part. Mollement, je me faisais à l'idée d'un après.

En février 1998, dépassant un peu la date limite, j'ai effectué mon dernier reportage. En découvrant à Atlanta, les jeux Paralympiques de 1996, j'avais été émerveillé par l'extraordinaire courage de ces handicapés qui relevaient le défi que la vie leur imposait. Là, demeurait le véritable esprit olympique, la beauté du sport, sans fioriture, sans vedettariat, sans fric, avec pour seule récompense le dépassement de soi-même. Aussi quand on m'a proposé – bien que mon temps d'homme «actif» soit légalement passé – de partir au Japon pour les jeux de Nagano, j'ai été heureux que ma carrière s'achève dans un compagnonnage avec ces héros.

Mon reportage terminé, j'ai, pour la première fois de ma vie, pris mon temps pour visiter ce pays étrange où l'on se sent partout étranger. Je me souviens de mon émotion devant le dôme martyrisé et tordu de l'immeuble de l'exposition industrielle d'Hiroshima. J'avais 7 ans lorsque l'enfer était, ici, tombé du ciel. Qu'a fait ma génération pour offrir aux enfants d'aujourd'hui un monde plus humain et fraternel? Le bilan n'est guère brillant. Dans l'avion du retour, je savais qu'à mon arrivée rien ni personne ne m'attendrait. Ma vie était passée. Elle débouchait sur le vide, le néant, mais hélas, elle continuait. Pour combien de temps ? À quoi bon entreprendre quelque chose lorsqu'on pense qu'on sera peut-être mort l'an prochain ou l'année d'après. Qu'on sera tombé dans le grand trou de l'oubli. J'avais pu mesurer, à la mort de ma femme, combien la religion pouvait aider les croyants, tous les croyants, à affronter la mort des autres ou la sienne propre. Je n'avais pas cette ressource. J'étais promis à la poussière. À ce moment-là, j'ai frôlé le fond du désespoir. J'évoque aujourd'hui cette période avec une ironie attristée.

Dans la période précédant ma retraite, je m'étais construit, ou plutôt un peu de travail et beaucoup de chance m'avaient donné une existence confortable : un amour, des enfants, un métier. C'était un château fort, et barricadé au sommet du donjon, je m'étais cru à l'abri des tempêtes et des blessures du monde. D'un coup, en moins d'une seconde, le temps qu'il a fallu au cœur de Danièle pour s'arrêter, ma vie a basculé. Je suis entré en hibernation affective, m'enterrant sous une épaisse couche de travail, léchant mes blessures au cours de méditations dans le petit cimetière du village à l'ombre du cyprès que j'ai planté et dont la hauteur révèle la mesure du temps qui passe depuis qu'elle m'a quitté. Je vais souvent m'asseoir sur le petit banc de granit que j'ai fait dresser près de sa tombe. Elle m'avait dit qu'elle ne voulait pas, lorsqu'elle serait morte, que les gens restent bêtement plantés devant sa sépulture, mais qu'ils s'asseyent confortablement pour bavarder, comme elle aimait tant le faire.

C'était une des rares périodes où le travail ne m'accablait pas. J'étais sérieusement déprimé. Seul, j'errais misérablement dans l'appartement déserté. Nous avions acheté d'abord un étage puis l'autre avant de les réunir en duplex. Je devais encore rembourser de lourdes mensualités et n'étais nullement assuré, compte tenu de mon chômage récent, d'avoir des revenus pour y faire face. C'est pourquoi je décidai de couper l'appartement en deux pour louer un étage et m'assurer ainsi un revenu ad hoc.

Le résultat fut, pour moi, destructeur. Faire ces travaux, c'était tuer mes plus beaux souvenirs, en quelque sorte effacer définitivement le bonheur que nous avions eu dans ce lieu. Si j'ai remis en état la partie à louer, le cœur m'a manqué pour continuer chez moi. J'ai mollement commencé à abattre des cloisons, à changer des portes de place. Et puis un jour, le désespoir m'a submergé. J'ai tout arrêté. Enfermé comme un loup dans sa tanière, je survivais au milieu des gravats que je n'avais même pas le courage d'enlever. Je me sentais piégé, sans désirs, sans projet, sans avenir. J'avais beau me tourner de tous côtés, je ne voyais aucune issue, j'étais comme emmuré. La vie qui n'avait plus de goût me serrait au collet.

C'est alors qu'un matin l'idée m'est insidieusement venue d'en finir. L'idée de me suicider ne m'a nullement effrayé, bien au contraire. Ce fut un immense soulagement. J'avais enfin trouvé une porte de sortie au cachot étroit qu'était ma solitude. L'angoisse m'a quitté d'un coup. La solution était simple, restait à la mettre en œuvre. Ce n'était qu'une question technique. Le luxe mais aussi la difficulté pour un candidat à ce type de départ est certes d'en choisir l'heure mais surtout le moyen : cachets, lame ou corde. Lequel effacerait le mieux cette douleur insupportable et indicible, l'endormissement sucré du poison, l'écoulement du sang sur le carrelage ou le resserrement brutal de la corde ? Je me suis donné le temps d'y réfléchir.

Dans mes campagnes, le nœud coulant est une méthode éprouvée et efficace. Mais à cette époque, seuls mes enfants me rendaient visite. J'ai frémi à la pensée qu'ils me trouvent grimaçant, la langue pendante et le caleçon souillé puisque, lorsque le nœud se resserre, les pendus, dit-on, « arrosent la mandragore ». J'ai tout de suite rejeté pareil moyen. Je ne pouvais résoudre mon problème en imposant un tel choc à mes gamins. Il me fallait une fin propre. Tout en cherchant la solution, j'ai compris pourquoi les suicidés surprennent toujours leur entourage. C'est d'une parfaite logique : si je faisais part à mes enfants ou à mes amis de ma décision, ils mettraient tout en œuvre pour me fermer l'unique porte que je voyais ouverte. Ils me surveilleraient, m'entoureraient, me bichonneraient… Pas question de renoncer à cette dernière branche que je sciais avec entrain. Ils sauraient bien assez tôt. Nous étions à la fin de l'année. La perspective des fêtes me glaçait. Il faudrait faire semblant, lever mon verre à l'année nouvelle, offrir – foutaises – des vœux de bonheur.

Je m'étais fixé une limite : faire le grand saut et disparaître à la mi-janvier, pour l'anniversaire de ma naissance et celui du décès de Danièle. Comme un remariage avec la disparue. J'étais dans cet état d'esprit lorsqu'un soir de novembre Anne-Marie, une de mes nombreuses nièces, qui réside à Montpellier, m'a appelé. «Tonton, nous aimerions, Marc, Magali et moi, venir passer les fêtes avec toi. Peux-tu nous héberger?» Lorsque j'ai raccroché le téléphone, les ténèbres avaient reculé. J'étais encore utile à quelque chose. J'existais pour quelqu'un, la preuve. J'ai regardé autour de moi le spectacle pitoyable de mon appartement en ruine. Impensable de les recevoir dans ce chantier. J'ai passé la nuit à déménager les gravats. Le lendemain, j'attaquais les plâtres, les peintures, la moquette. À Noël, mon petit logement était présentable et mes pulsions suicidaires envolées. Encore prisonnier de mon secret, je n'ai rien dit à mes visiteurs. Cela m'a pris deux ans avant d'avouer à ma nièce, avec un rien d'ironie tardive, que très involontairement, elle m'avait, par son appel, raccroché à la vie.

Quand j'ai approché de mes premiers jours de retraite, je ne suis pas retombé dans cette déprime. Mais une question, lancinante, m'obsédait : que faire de ce temps neuf ? Des vacances perpétuelles ? Très peu pour moi. Je sais d'expérience que l'inactivité entraîne l'ennui mais aussi la perte des capacités physiques et mentales que je souhaitais conserver en ordre de marche. J'ai trop vu de ces retraités hibernants qui, faute de projets, s'alanguissent dans une médiocrité, joyeuse pour un temps, puis de plus en plus sinistre.

J'ai ouvert le dossier « retraite ». Son contenu était désespérant : club d'échecs, de mots croisés, cours de bridge, voyage au Canada – une promesse faite à Danièle que nous n'avions pu réaliser… Je pouvais aussi me retirer dans ma maison normande, achetée trente ans plus tôt, en triste état. En bricolant, je l'avais rebâtie mur après mur, pièce après pièce. Il restait beaucoup de travail à faire mais qui durerait au total un ou deux ans, pas plus. Tout cela ne me paraissait pas susceptible de remplir ma vie future. Il fallait que je pense, que j'agisse, que je bouge. Un jour, sur un stade, près du périphérique qui vomissait généreusement dans nos poumons des nuages de dioxyde de carbone, j'ai demandé à un «nouveau» qui était venu s'entraîner à la course avec notre petit groupe d'amis :

– Que faites-vous dans la vie ?

– Je suis à la casse.

Il prononçait «caasse» avec un «a» mitigé de «o» comme on le fait dans le Nord ou la Picardie.

– À la casse ?

– Oui, je veux dire en préretraite. L'entreprise pour laquelle je travaille depuis trente-six ans a jugé que je lui coûtais trop cher.

Étais-je moi aussi, à la casse ? Je n'étais pas loin de le penser.

Dans l'avion qui me ramenait de Tokyo, j'avais repensé à un livre qui m'avait enthousiasmé trois ou quatre années auparavant, *Chemin faisant* de Jacques Lacarrière. Sa marche solitaire de son domicile à la Méditerranée, 1 000 kilomètres à travers les campagnes françaises, m'avait amusé, intéressé. Pourquoi ne pas l'imiter ? Découvrir la France par le menu, bavarder avec des paysans, des boulangères – «Si vous avez un problème, allez voir la boulangère», recommandait ce merveilleux conteur. Un tel programme était déjà plus conforme à mes vœux que le club de bridge.

Peu à peu me venait l'idée que si la retraite me privait de tous mes repères, et d'une bonne partie de mes relations, elle me délivrait d'un poids non négligeable : l'obligation de gagner ma vie. Mais en même temps, il s'agissait de ne pas perdre de temps. Car nul ne sait quand l'horloge s'arrêtera. J'ai donc répondu rapidement à la question. Va pour marcher. Restait à trouver où porter mes pas. Je n'ai guère hésité : ce serait un chemin «habité». J'ai dévoré les livres de Fernand Braudel qui nous explique l'Histoire non pas du côté cour (royale) mais du côté jardin (paysan). Aller sur des chemins de grande randonnée, marcher pour marcher n'était pas ma tasse de thé. Il me fallait de l'histoire avec un grand «H».

J'ai tout de suite pensé à Compostelle qui, en 1998, n'attirait pas les foules qui l'encombrent aujourd'hui. Créé voici onze siècles, le chemin a drainé des millions de pèlerins en sabots venus des confins de l'Europe vers la Galice où serait enterré Jacques le Majeur, l'apôtre du Christ. Quelle force mystérieuse poussait ces gens? Quelles étaient la part de la foi, celle du calcul des autorités ecclésiastiques? Allaient-ils seulement acheter une part de purgatoire avec les «indulgences», cette escroquerie majeure qui consistait, contre de l'or versé cash, à promettre, pour l'au-delà, une remise de peine au purgatoire? Une bonne affaire qui garantissait les faussaires contre toute protestation des victimes. Ce marché cynique, accepté par des âmes simples et proposé par la sainte Église catholique apostolique et romaine, avait largement contribué à la remise en cause de l'autorité de Rome et à la naissance du schisme protestant. Je n'oubliais pas l'œuvre des bâtisseurs de cathédrales, et l'invention du sublime art roman, sur ce chemin vers Santiago, aujourd'hui inscrit au Patrimoine mondial de l'Unesco.

Déjà, l'envie de partir me démangeait.

Difficile de dire aujourd'hui quelle était la part de fuite dans ce voyage préparé huit jours à peine après l'arrivée du premier chèque de retraite sur mon compte en banque. Peut-être ma décision a-t-elle aussi été facilitée par le départ de ma petite amie de l'époque, une jeune femme un peu fantasque. Depuis la mort de ma femme, j'étais un handicapé de l'amour. Affectivement, la mère chérie de mes enfants emplissait encore tout mon espace. Physiquement, je vibrais d'un élan vital. Aussi les «copines» se succédaient-elles, très vite conscientes qu'elles devraient partager mon amour avec Danièle dont la pensée ne me quittait guère, pas plus que ses photos, dans chaque pièce de notre maison. Les arrivées et les départs dans ma vie affective constituaient une liste de plus en plus longue, avec des séquences de plus en plus courtes. Je gardais, à 60 ans, une vitalité qu'il me fallait brûler par des sports extrêmes et une volonté de ne pas me laisser enfermer dans un rôle de veuf inconsolable, même si je n'étais pas consolé. Adolescent, je m'étais convaincu que les vieux n'étaient capables ni d'être amoureux ni de faire l'amour. Encore une erreur de jeunesse, car une sève aussi ardente qu'à 30 ans bouillait en moi et j'avais encore envie et besoin d'aimer.

Que penseraient mes amis de mon départ à Compostelle? J'avais longtemps caché mon projet de voyage. Il est notoire que je suis agnostique. On se moquerait de moi, le mécréant prenant la coquille des pèlerins. Un soir, dînant chez des amis, j'ai lancé l'information, m'attendant à des rires ironiques ou moqueurs. Au contraire, j'entendis plusieurs personnes dire : «Moi aussi, j'y pense.» J'y avais pensé, il ne me restait plus qu'à le faire.

Auparavant, il me fallait accomplir un geste symbolique de passage d'une vie active à une vie de retraité. J'avais, quelques mois avant la date ultime, fait une recherche patiente des amis qui avaient compté pour moi, de mes plus belles rencontres. Je les ai invités tous, soixante ou soixante-dix, je ne sais plus, un samedi de mars dans ma maison normande. Très peu se connaissaient. Cela m'a permis de voir combien j'avais compartimenté les amis rencontrés au long de mes vies et mes carrières successives. Ils étaient là, les copains d'enfance, des galères et ceux des jours où, travaillant à la télévision, je me prenais pour quelqu'un. Des bacs plus-plus et des bacs moins-moins. Guy, aujourd'hui pâtissier, rencontré dès l'âge de la poussette et Marcel, le plombier, quelques brillants journalistes ou artistes... ils étaient tous là et je mesurais le trésor d'amitiés amassé sans que j'en aie jamais fait le compte. Nous avons passé une soirée mémorable et presque tous sont revenus le dimanche midi, tant ils avaient du mal à sortir de ce bain convivial. On a improvisé, allumé un grand feu, envoyé une expédition chercher du pain, quelques côtes de bœuf, de la salade et la fête s'est poursuivie. Pourtant, au soir, ils sont partis.

Le lendemain matin, près de la fenêtre qu'un forsythia illuminait, j'ai pris un livre. Je relisais sans cesse la même page sans comprendre de quoi il retournait. Entre les lignes s'inscrivait le mot «solitude». Je me sentais abandonné. Travail, relations professionnelles, agenda, cadre d'activité, tout avait disparu. Immanquablement, malgré les serments entendus la veille, je savais que la retraite allait m'éloigner de mes copains. L'amitié, pour les isolés, ne se déchire pas, elle s'étiole. Il me restait un peu moins d'argent pour vivre et du temps. Je ne savais qu'en faire. Sous le ciel gris de ce printemps, je me noyais et ma main n'agrippait que des poignées d'eau. Seul, dans ma grande maison au bord de la forêt, je mesurais à quel point les autres m'étaient indispensables.

J'ai empli un sac à dos, préparé quelques vêtements, dit au revoir à mes enfants. Un matin d'avril, j'ai posé ma montre sur un meuble de mon appartement parisien, endossé mon bagage, et symboliquement jeté mon trousseau de clés dans la boîte aux lettres. Puis j'ai emprunté le boulevard de Strasbourg jusqu'à la tour Saint-Jacques. J'avais trois mois de marche et 2 300 kilomètres devant moi. Mais je ne partais pas seulement pour marcher ou m'instruire. Je m'étais fait une promesse : construire en chemin un programme de retraite.

Le plan de marche était simple : entre 20 et 30 kilomètres par jour avec, si nécessaire, vingt-quatre heures de repos de temps en temps. Le plan de travail spirituel n'était guère plus compliqué : un mois pour faire le point, un autre pour me poser des questions sur ce que j'avais vraiment envie de faire dans cette nouvelle vie. Une fois arrivé à Saint-Jacques-de-Compostelle, je devrais impérativement décider de mon «plan de carrière» de retraité.

II

En marche

J'ai suivi mon programme à la lettre, avec toutefois un petit accroc dès le départ. Traverser à pied la banlieue parisienne, puante de milliers de pots d'échappement, m'a paru d'emblée trop violent pour un premier jour. J'ai donc pris le RER à Saint-Michel jusqu'à Dourdan. De là, en quelques heures, mes pas m'ont conduit chez mes chers amis Francine et Daniel où j'ai passé dans un bon lit ma dernière nuit de sédentaire. Après, ce serait l'aventure nomade.

Au matin, j'ai quitté leur maison, La Forge, avec une détermination toute neuve. Malgré une pluie battante et une première ampoule au talon droit, j'ai tout de suite éprouvé un sentiment magique de liberté. J'allais le nez au vent, immergé dans un bonheur plein. Quand la lumière a baissé, j'ai constaté que c'était le jour de fermeture de l'unique auberge du village où je m'étais arrêté. Le patron qui buvait l'apéritif avec un ami m'a ouvert la porte avec réticence. Après mes explications, il m'a tendu une paire de draps et donné – et non loué – une chambre. J'ai eu la conviction que si j'avais été en voiture, il m'aurait claqué la porte au nez. Mais voilà, sur mes deux pieds, j'étais un homme, pas seulement un client. L'antique hospitalité reprenait ses droits. J'ai eu l'occasion de le vérifier souvent sur ce chemin qui m'a conduit, en un mois, de Paris à Vézelay, puis au Puy-en-Velay, première grande étape de mon voyage. Partout, les portes et les âmes s'ouvraient. À hauteur d'homme, je redécouvrais la chaleur de l'échange. Un couple de retraités m'offrait un déjeuner, un autre sa caravane sur le toit de laquelle j'entendais la pluie tambouriner toute la nuit. Une seule fois, on m'a boudé l'hospitalité... dans un monastère. Les bons pères avaient dû détecter en moi le mécréant. On m'a refusé l'achat d'un repas mais, sur mon insistance, on a consenti à me vendre un sandwich.

En marchant, ruisselant sous les averses d'avril, je découvrais un monde allègre et ouvert. L'aventure, si modeste soit-elle, changeait mon angle de vue, ma façon de voir les choses. Je m'amusais d'un rien, parlais à tout le monde. Je couchai une nuit sous les combles d'un château que la propriétaire louait pour le sauver de la ruine. En longeant un canal, j'entamai une conversation avec un marinier dont la péniche avançait aussi mollement que mon pas. À une écluse, il m'invita à monter à bord pour visiter son minuscule logement d'une propreté méticuleuse et me raconta son métier, sa famille, son fils inscrit au collège pour enfants de mariniers. Pendant une heure, assis à l'avant de la barge, je rêvai en regardant les berges défiler et les hérons cendrés marcher d'un pas précautionneux avant de s'élever lourdement à notre approche.

Il pleuvait sans discontinuer. L'eau ruisselait sur mon poncho, coulait le long de mes jambes et s'insinuait dans mes chaussures. Deux ou trois fois par jour, je devais m'arrêter pour vider mes godasses, tordre mes chaussettes et renfiler le tout. Mais j'allais dans le bonheur de la découverte, sans hâte particulière, m'arrêtant pour observer un insecte crapahutant dans le chemin ou des bourgeons de cerisier que le réchauffement printanier gonflait joliment de promesses de fruits. La lenteur de ma progression m'enchantait. Une lenteur toute neuve, après une vie passée à courir après les études, le travail, l'argent. Je m'efforçais d'aller lentement, je refrénais comme je pouvais une hâte qui, bien installée dans mes gènes, me poussait à accélérer.

Je me dépouillais de l'urgence, de l'inutile, du superflu. Symboliquement, je me suis rasé la tête, avec un mauvais rasoir jetable qui m'a arraché des lambeaux de peau. Pendant une semaine, j'ai eu le crâne couvert de croûtes. Je m'en fichais comme de mon premier biberon. En revanche, bizarrement, je me suis rasé tous les jours, quelles que soient mes conditions d'hébergement, y compris dans les cabanes de berger squattées pour une nuit. C'était pour moi une sorte d'hygiène mentale : commencer la journée en effaçant les désordres de la nuit, même si comme tout le monde, je trouve que se raser chaque matin, c'est la barbe. Mais je voulais être net, prêt à affronter la journée. Un élan en quelque sorte.

Jour après jour, durant un mois, j'ai consciencieusement rempli mon contrat qui consistait à faire un bilan de ma vie. Je suis convaincu, comme le serait un maçon, qu'on ne construit rien sans préparer le terrain avec de solides fondations. Avant de décider où aller, il fallait que je voie clairement d'où je venais. Sur les deux chemins de grande randonnée, les GR 3 et 13, j'ai quotidiennement remis en marche ma machine à remonter mon temps. Un exercice fascinant.

Dès les premiers pas, à l'aube, je reprenais le fil de ma vie interrompu la veille à l'heure du coucher.

Pas à pas, je révisais mon existence. Mes plus lointains souvenirs d'enfance, mon adolescence, mes études, mes métiers, mes rencontres, mes succès et mes échecs, tout est passé à la moulinette de ma mémoire. N'interrompaient ce compte à rebours qu'une ondée plus forte que les autres, la fuite d'un lièvre, l'envol d'une buse ou ce nez à nez avec un renard dans un sentier étroit. Je me demande encore lequel de nous deux fut le plus surpris. Seul témoin et acteur de cette confession, je ne me faisais pas de cadeaux et n'avais aucun scrupule à m'avouer mes propres carences et les quelques menues turpitudes de ma vie passée. Mon esprit se livrait à une savante marche arrière, laissant mon corps aller de l'avant.

L'une des plus belles découvertes de ce début de voyage fut la reconstruction de mon corps anémié par l'inactivité. La ville a fait de nous des culs-de-jatte. La position assise est désormais la plus normale et la plus fréquente : le fauteuil au bureau, le siège dans les transports, la chaise au cours du repas, le canapé-télé et puis le lit. Nos fesses nous portent désormais plus que la plante de nos pieds. Dans ces conditions, les premiers pas ont été pénibles. Les muscles de mes pieds, mes cuisses, mon dos n'en avaient pas l'habitude. Le matin, des courbatures me paralysaient jusqu'à ce que mes muscles s'échauffent. Noyés dans une eau mêlée de sueur, mes pieds protestaient d'autant que ma peau était fragilisée, ramollie par les pluies incessantes. N'ayant pas suivi de cours de randonnée, j'ai inventé des solutions : le soir, laver soigneusement mes chaussettes, les mettre à sécher et, si elles sont encore humides au matin, les accrocher au sac dès la moindre éclaircie ; bourrer de papier journal mes chaussures pour en aspirer l'humidité et me donner un peu de confort, ne serait-ce que quelques heures, en me remettant en route ; à chaque arrêt un peu long, j'enlevais mes chaussures pour que, les pieds à l'air, les ampoules éclatées sèchent et ne s'infectent pas.

Le diagnostic était bon. Les courbatures avaient disparu dès la fin de la première semaine et je n'aurais plus la moindre ampoule durant mes trois mois de marche. Au bout de quinze jours, j'étais assez en forme pour effectuer des étapes de 30 kilomètres sans la moindre douleur musculaire. Le corps humain, cette merveille de chair, d'os et de tendons est fait, conçu, fabriqué pour la marche. Celle-ci ne demande que peu d'énergie. Seul mon dos, tyrannisé par le sac, souffrait toujours. Je me débarrassai de quelques objets ou vêtements que récemment encore je jugeais indispensables à ma survie. Je m'allégeais, mentalement et physiquement. Je me rendais compte qu'on pouvait parfaitement vivre avec seulement deux paires de chaussettes. Sensation envoûtante, je ressentais de manière presque palpable dans mon corps en mouvement l'alchimie qui transformait mes bourrelets (les «pneus») au niveau de la ceinture en muscles dans les jambes et les fesses – ces propulseurs de la marche. Mes abdominaux, ces cordes qui nous maintiennent debout, durcissaient et s'assouplissaient. Je redevenais un être complet, agile et flexible. Pour peu qu'on les sollicite, les muscles n'ont pas d'âge. Cette reconstruction me rajeunissait. Mon organisme fabriquait à jets continus cette hormone du bonheur qu'on appelle endorphine, cette drogue naturelle et bienfaisante qui me faisait presque danser malgré le poids du sac. Le rat de bibliothèque qui a dit que la marche est souffrance n'a sans doute jamais marché longtemps.

Le bonheur n'était pas seulement physique. Le corps donnait le tempo. La marche induisait une sorte de dynamique spirituelle. Jamais je n'avais ressenti avec autant de plaisir l'acte de penser. Je constatais, et je l'ai par la suite maintes fois vérifié, que la marche est un exercice moins physique que spirituel. Une tueuse d'idées noires. Du haut d'une colline où le regard embrasse l'horizon comme au ras d'un sentier qui serpente dans la bruyère, tous les problèmes deviennent relatifs. J'absorbais le monde par le regard, le corps, la pensée. J'étais au centre de la création, en symbiose avec la nature. Toutes les angoisses qui m'avaient envahi à l'annonce de la retraite se dissolvaient, tombaient dans la gadoue que je foulais joyeusement. Appliqué à me réciter l'histoire de ma vie, porté par mes jambes un peu plus assurées chaque jour, j'étais dans l'équilibre du monde qui m'entourait. Oubliée l'information qui avait été ma substance quotidienne, oubliés mes frères humains et les drames qui devaient défiler comme de coutume sur le petit écran. Une femme m'a raconté qu'en revenant de Compostelle elle a attrapé sa télé et l'a jetée par la fenêtre de son appartement. Guérie ! J'allais tranquillement dans le plaisir, sans trop d'efforts et cette joie intime rejaillissait sur ma relation aux autres. J'étais gai, arrangeant, m'amusant de l'étonnement des sédentaires que je croisais. Pour un peu, je me serais pris pour un héros, moi qui avais osé quitter ma gamelle, mes journaux et mon chauffage central.

On devrait envoyer les gens marcher pour boucher le trou de la Sécurité sociale. Ne suffirait-il pas que les retraités marchent une demi-heure chaque matin pour qu'ils abandonnent rapidement leur boîte distributrice de pilules et oublient le numéro de téléphone de leur médecin traitant?

Faire un peu de sport, c'est utile. Pourtant, je ne suis guère un exemple à suivre.

Paresseux par nature, je ne fais les choses que sous la contrainte. Mais hélas, doué d'une imagination trop fertile, je m'invente des projets qui me créent des activités illimitées. D'autant que, stimulé en quelque sorte par ma fainéantise, je travaille vite et fort pour me débarrasser le plus rapidement possible du fardeau que je me suis imposé et qui m'empêche de me reposer. À peine est-ce fini, ça recommence, «le rouet» comme dit Montaigne. Dans ces conditions, tout au long de ma vie adulte, j'ai toujours eu peu de vrais loisirs, je veux dire de repos. Ma principale distraction était, durant le week-end ou les vacances, le maniement de la truelle, du pic et du marteau dans ma maison normande.

J'ai fait du sport deux ou trois fois dans ma vie, mais toujours par obligation. Du sport thérapeutique. À 19 ans, après un an de traitement, je sortais de l'hôpital où j'étais soigné pour une tuberculose. L'affaire était si sérieuse que l'armée, pourtant peu regardante sur les recrues qu'elle envoyait alors par bateaux entiers en Algérie pour «maintenir l'ordre», me réforma. Mon médecin de famille m'avait mis en garde : «La maladie n'épargne pas la jeunesse. Jean, ton camarade de chambrée à l'hôpital vient de mourir à 32 ans. Tu es encore bacillaire. Il te faut te protéger, t'économiser, te reposer. Pas d'alcool, pas de tabac, pas d'exposition au soleil, pas de fatigue excessive.» J'avais rendu visite quelques jours auparavant à ce compagnon d'infortune. Il était optimiste. «Voici les beaux jours, je vais demander une permission pour aller passer une semaine chez moi», m'avait dit Jean. Cette maladie terrible l'a tué en douceur, sans douleur. Il est sorti à l'heure prévue de l'hôpital, mais hélas, les pieds devant.

Je suis rentré chez moi effondré, à la fois par l'annonce de la mort de Jean et par l'enterrement de ma jeunesse que me proposait le bon Dr Drucker, dont les trois fils devaient briller si fort chacun dans leur discipline. À 19 ans, ce qu'il me prescrivait était un programme de vieillard. Au bout de deux mois, je revins le voir pour lui annoncer : «J'ai choisi de faire tout le contraire de ce que vous m'avez dit. Pas de repos. Je suis décidé à préparer l'examen pour être prof de gym. Je vais donc faire quatre à cinq heures de sport par jour. J'ai, hélas, commencé de fumer à l'hôpital, pour tuer le temps et je ne suis pas motivé pour m'arrêter. Quant aux sorties le soir et les virées au bal, pas question d'en priver ma petite amie qui adore cela. Je vous propose donc de revenir vous voir tous les trois mois. Je ne veux pas mourir, mais je ne veux pas m'arrêter de vivre. Ce sera quitte ou double. Si ça se gâte, j'y renoncerai, mais je veux tenter ma chance.»

Deux ans plus tard, bronzé par le soleil des stades et pétant de santé, j'entamais une carrière de professeur de sport au lycée Malherbe à Caen... pour démissionner trois mois plus tard. L'enseignement n'était pas ma vocation. Mon passage a été si rapide que, lorsque j'ai voulu «liquider» ma retraite, l'Éducation nationale a été incapable d'en retrouver la trace. Il paraît que c'est habituel, donc devenu normal.

Jusqu'à l'âge de 40 ans, j'ai abandonné toute pratique sportive sinon un match de foot de temps à autre avec mes neveux ou une partie de tennis le dimanche matin deux fois par an. Je fumais alors un paquet de gauloises ou de gitanes par jour. Ma famille vivait dans un brouillard permanent. Ayant perdu l'odorat à cause de cette pratique funeste, j'étais le seul à ne pas être gêné par la puanteur qui s'échappait du cendrier sur mon bureau. Une ou deux tentatives pour m'arrêter avaient échoué lamentablement. La mort de mon frère, Roger, dix ans plus tôt, victime d'un cancer caractérisé du fumeur, ne m'avait pas guéri, bien au contraire. Très meurtri par la mort de ce frère chéri dont j'avais eu la douleur de fermer les yeux, j'étais passé sans transition d'un paquet à deux par jour. Cette drogue dure me rendait nerveux, irritable.

J'ai décidé, un dimanche matin, d'arrêter. Afin de trouver un dérivatif au stress que provoquait le manque (je refusais d'avoir recours à des succédanés comme des patchs ou des doses de nicotine en pilule) et pour résister à la tentation de rechuter, je me suis mis à la course à pied. Chaque jour, au lieu de déjeuner, j'allais sur un stade, près du périphérique, tourner au petit trot avec d'autres amateurs. Soucieux de ma ligne et ne souhaitant pas devoir acheter de nouveaux costumes, la course m'a permis de ne prendre qu'un ou deux kilos, de muscle pour l'essentiel.

Six mois plus tard, je prenais le départ d'un 20 kilomètres et, un an après mes premiers entraînements, je réalisais en 3 h 40 mon premier marathon. Mon plus grand bonheur fut un jour, à la campagne, de sentir à nouveau l'odeur enivrante du foin coupé. J'avais perdu ma mauvaise habitude et l'avais échangée contre une autre, plus saine. Pendant les dix années suivantes, j'ai régulièrement couru chaque année un ou deux marathons, me mesurant même à la redoutable épreuve du 100 kilomètres. Mes performances étaient fort modestes – mon «record» personnel est de 3 h 20 –, mais je n'en avais cure. Ce qui me plaisait dans ce type de course, c'étaient la convivialité des pelotons, l'absence de tout esprit de compétition en dehors des professionnels qui faisaient la course en tête. Il m'est arrivé, avec un grand plaisir, d'accompagner un aveugle qui voulait se mesurer à cette épreuve mythique. Il fit le parcours avec entrain, sa main sur mon épaule ou la mienne le guidant. Je serai incapable de dire quel temps nous réalisâmes. Mais c'est sans doute la course qui m'a laissé la plus forte impression de bonheur.

Le marathon, c'est une bataille entre le corps qui voudrait aller plus vite et l'esprit qui le domine afin «d'en garder sous le pied» pour finir. Car pour tous, forts et faibles, lents et véloces, les choses se compliquent au trente-cinquième kilomètre. J'adore cette loi du marathonien selon laquelle «il faut partir le plus lentement possible et ensuite, freiner un peu».

J'avais cessé de courir après la mort de Danièle. Plus rien ne m'intéressait. Pourtant en 1996, deux ans avant ma retraite, mon fils aîné Mathieu m'a lancé un défi : venir avec lui courir un marathon célèbre, celui de New York. J'ai donc repris l'entraî-nement et un peu le goût à la vie. Je n'avais que trois mois pour me préparer, mais cela m'a suffi pour terminer l'épreuve... seul, car mon fils avait eu un empêchement de dernière minute. J'ai couru ce marathon d'outre-Atlantique avec joie, adoré son atmosphère festive et vérifié une fois de plus que des 42 kilomètres et 195 mètres, ces derniers mètres-ci sont les plus douloureux. L'année suivante, gonflé d'énergie, je me lançai dans l'aventure folle des Foulées de la soie.

La course à pied m'a bien préparé, côté muscles et cœur, à la marche. Pourtant, à l'heure de mon départ vers Compostelle, je ne pratiquais plus d'entraînement depuis plusieurs mois. Je crois me souvenir que je considérais qu'un «vieux» ne devait plus faire de tels efforts. La vieillesse s'installait dans ma tête. J'allais l'en chasser par les muscles. L'endurance que m'avait procurée la course à pied était là. Après quelques semaines de marche, j'ai touché les dividendes de cette pratique quotidienne. J'allais tranquillement, dans le plaisir et sans trop d'efforts.

Pendant les vingt et un premiers jours, je fus un marcheur totalement solitaire. Cette solitude-là ne me pesait pas. Elle n'avait rien à voir avec la douleur de l'absence qui m'avait oppressé avant mon départ. C'était une solitude librement choisie, délectable, créatrice. Le vingt-deuxième jour fut un événement. Le soleil s'était installé dans un ciel pur. Alors que je marchais gaillardement sur un sentier étroit dans un petit bois, j'aperçus, venant à ma rencontre, mon clone. Chapeau, godillots, sac à dos, il me ressemblait comme un frère.

Nous sommes allés l'un vers l'autre, et après une solide poignée de main, nous nous sommes assis dans la bruyère enfin sèche, bavardant comme de vieux amis pendant une bonne heure. Il avait dans les Alpes une petite affaire de ferronnerie et de serrurerie dont l'atelier donnait sur le Mont-Blanc. Il était né en Auvergne et revenait humer le parfum du pays. Encore deux ans et il serait à la retraite. Son projet était prêt : faire en deux mois le tour de sa province, en prenant tout son temps. Si cela n'avait tenu qu'à lui, il aurait tout envoyé promener et pris la route sans attendre. Durant ce tour d'horloge, dans une communion péripatéticienne, nous avons parlé marche, dans la chaleur de l'échange et l'odeur de l'humus qui, après toutes ces journées de pluie, embaumait sous les rayons de soleil de cette fin d'avril.

En le quittant, je songeai que la retraite n'était pas nécessairement ce gouffre que j'avais redouté. Elle pouvait être le début et l'achèvement de tous les possibles. À quel âge de la vie cumulait-on, pour peu que la santé s'en mêle, autant d'atouts gagnants ? J'avais déjà découvert le temps, si précieux. En écoutant cet homme parler longuement de son métier et de ce qu'il lui avait apporté, je mesurais combien mon travail et mes lectures m'avaient moi aussi enrichi. J'ai, au cours de ma vie, lu des livres, vu des films, entendu des histoires, bref, acquis une culture qui pourrait rivaliser dans certains domaines avec celle des plus doctes savants que produit notre Université... si ma pauvre mémoire n'en avait pas effacé une partie. Toute l'expérience accumulée n'avait pas entamé ma capacité à rêver, au contraire. Privilège incomparable, je m'étais tout doucement, au fil des années, mis à l'abri des besoins d'argent. Lorsqu'on a été un enfant pauvre, on redoute toute sa vie de manquer. Après notre somptueux repas de noce composé d'un pot-au-feu et de quelques friandises, Danièle et moi avions fait le compte de nos fortunes : nous possédions en tout et pour tout cent francs, une somme offerte par un oncle et une tante généreux, destinée à l'achat d'une table. Ayant appris que nous mangions par terre – ce qui à cette époque n'était pas vraiment douloureux pour nos jeunes et souples articulations –, ils voulaient nous voir plus confortablement installés. Mais nous étions si fauchés que cet argent nous a surtout permis d'acheter de quoi manger. Il nous a fallu plusieurs mois d'économie pour inviter, à la table enfin acquise, les donateurs contents de leur cadeau.

Au terme d'une vie où j'ai toujours veillé à dépenser un peu moins que ce que je gagnais, je me retrouve, seul hélas, à la tête d'un petit patrimoine immobilier : deux habitations, une en ville et une à la campagne. Ce bien, certes modeste, me met à l'abri des intempéries jusqu'à mon dernier souffle. Voilà pour le gîte. Quant au couvert, la retraite elle aussi modeste dont je venais tout juste de toucher la première mensualité me permettrait de ne jamais me trouver le ventre vide.

Combien de temps allais-je en profiter ? Question sans réponse, mais en regardant autour de moi, j'avais quelques raisons d'être optimiste. Ma génération a connu un autre progrès, bénéfique pour la Sécurité sociale déjà citée plus haut : celui de l'hygiène. Elle nous vaut sans doute pour une grande part notre santé collectivement insolente. Paradoxalement, le «trou» de la Sécurité sociale, s'il était comblé par des économies résultant d'une pratique sportive collective, maintiendrait les bénéficiaires en vie plus longtemps, contribuant ainsi à creuser un abîme dans les comptes des caisses de retraite. Rien à faire. Il faudra, à terme, se résoudre à vivre mieux avec moins.

L'histoire de ma famille est assez représentative de tous ceux qui ont été chassés des campagnes vers les villes par l'exode rural. Quand mes parents habitaient encore leur petit village du sud de la Manche, le broc d'eau sur la petite table qu'on appelait «de toilette» suffisait aux ablutions matinales de toute la famille. Les matins d'hiver givrés, quand le froid dessinait des arabesques sur les vitres et qu'il fallait quitter la chaleur du lit, dans ce minuscule cabinet sans chauffage, nous, les enfants, faisions, en guise de toilette, semblant de nous frotter le nez avec un gant humide. «Comme les chats», disait ma mère. Les instituteurs tentaient de nous inculquer des règles d'hygiène et nous demandaient de présenter nos mains en entrant dans la classe. Malgré tout, on n'usait pas trop de savon. Ce savon que ma lavandière de mère, pour arrondir les fins de mois, fabriquait elle-même pendant la guerre en touillant dans une lessiveuse une recette magique. Elle était composée avec des ingrédients aussi divers que de la soude caustique, des cendres du fourneau, de la résine de sapin que mon père allait récolter dans le bois voisin et des marrons d'Inde, auxquels elle ajoutait bizarrement des capsules de bouteilles de vin pour donner une jolie coloration à la mixture. Mes grands-parents n'ont, que je sache, jamais pris un bain de leur vie, même dans la rivière. Mes parents nous envoyaient aux bains municipaux une fois par mois environ et payaient de leur personne en s'y rendant une ou deux fois dans l'année. Mes enfants et leurs copains prennent au minimum une douche par jour. À mon tour, j'y suis venu, mais seulement après mon mariage, Danièle m'ayant sermonné sur la nécessité de me laver et de changer de chemise tous les jours. J'ai alors un peu regretté la cérémonie hebdomadaire de ma mère qui nous remettait tous les dimanches matin du linge propre que nous devions porter toute la semaine. Du linge propre et doux, mille fois frotté, qu'elle avait lavé dans la rivière glacée, les mains paralysées par le froid.

Dans les campagnes du bocage de mon enfance, les femmes, épuisées par le travail et les maternités, et les hommes, par la rudesse de leurs tâches et l'alcool, étaient usés à 50 ans. 60 ans était un grand âge. Lorsqu'on a créé la retraite à 65 ans, il y a moins d'un siècle, seul un homme sur trois ou quatre parvenait à cet âge. Et le choix de la retraite par répartition a été fait parce que sur quatre salariés cotisant, un seul parvenait, pour quelques années, à bénéficier d'un revenu procuré par les autres. Dans les années vingt, l'extrême longévité était si exceptionnelle que, dans un village voisin, on a gravé sur une plaque de marbre, en présence de toutes les notabilités du coin, l'éloge d'un vieillard qui avait atteint l'âge de 100 ans. Aujourd'hui, il faut avoir au moins 110 ans pour provoquer un début de curiosité.

Bien sûr, je perds quelques boulons sur la route qui me conduit sûrement au cimetière. Comme des peines, on s'accommode de toutes ces petites misères. J'essaie, dans la mesure du possible, de solliciter mes défenses naturelles et ne recours aux médicaments que contraint et forcé. Un gros rhume, une petite grippe, je ne prends pas le moindre cachet. Sur le moment, je suis sans doute un peu plus éprouvé que ceux qui font appel à la pharmacopée, mais j'en sors plus fort, plus résistant. J'accepte les insomnies puisque je refuse la petite pilule du marchand de sable. Et je me battrai de toutes mes forces avant d'avaler la cuillerée à café de gélules multicolores que je vois certains – ils n'ont, hélas, pas toujours le choix – engloutir au petit déjeuner. Afin de me conforter dans cette résistance, je ne me fais pas rembourser les médicaments que mon toubib, parfois, me prescrit. Si, dans un moment de doute, je les achète, je fais un effort pour les prendre durant un ou deux jours, mais c'est plus fort que moi, j'oublie. Les psychologues appellent cela un «acte manqué». Tout cela ne me protégera certes pas d'un cancer ou d'une crise cardiaque. Je n'aspire pas à vivre vieux. Je n'ai qu'une ambition, celle de mourir en bonne santé.

Ainsi défilaient les images de mes 60 ans de vie.

Elles m'accompagnaient sous la pluie puis sous le soleil qui s'installait durablement. Chaque jour, la retraite m'apparaissait moins sombre. Après tout, je me sentais encore jeune. Et j'avais assez d'énergie et de volonté de séduire si le hasard me mettait en présence d'une autre Danièle. Pas à pas, je parvenais au terme de ma première grande étape, Le Puy-en-Velay. Les collines de cette belle province s'étendaient en rondeurs, le printemps jaillissait. Bientôt, j'aperçus la statue monumentale de Notre-Dame de France perchée au sommet du cône volcanique appelé rocher Corneille et le clocher de la cathédrale. Nulle ville de France n'offre, avec ses édifices du culte haut perchés, la possibilité aux croyants de se rapprocher autant du ciel.

Je posai mon sac dans un petit hôtel de la ville basse où j'achevai la première des trois étapes de mon aventure. La seconde devait me porter jusqu'à Roncevaux, là où, selon la légende, la fidèle épée Durandal du sieur Roland, « qui ne brèche ni ne se brise », a fendu quelques crânes. Lorsque je franchirais la crête des Pyrénées vers le flanc espagnol, je devrais avoir résolu la question de mon pacte de fin de vie, trouvé un sens à l'existence qui m'attendait pour x années. Au fil des paysages, j'avais constaté que je n'étais pas démuni : beaucoup de temps, un peu de culture, d'argent et d'expérience. Avec un tel bagage, il devait être possible de faire quelque chose. Mais quoi?

La chance, cette compagne qui m'a rarement abandonné, allait m'aider.

III

Les révélations du chemin de Compostelle

Avant de descendre sac à l'épaule les escaliers de la cathédrale du Puy-en-Velay puis la route en pente abrupte qui mène à la lointaine Compostelle, j'avais acheté la «créanciale». Ce petit carton en accordéon est le passeport du pèlerin, le témoin de son voyage. C'est la cousine de la «lettre de créance» que les curés donnaient autrefois à leurs paroissiens qui partaient pour Santiago. Ces lettres permettaient de ne pas confondre les vrais pèlerins qui allaient en Espagne pour sauver leur âme avec les Coquillards, ces faux pèlerins, ces pique-assiette du Camino qui avaient découvert que sur ce chemin on distribuait le gîte et le couvert gratuitement. Chaque gîte, à l'aide d'un solide coup de tampon sur la créanciale du pèlerin d'aujourd'hui, atteste de la réalité de sa progression. Ce laissez-passer est la preuve, pour les autorités de la capitale de Galice, que les marcheurs méritent la *Compostela*. C'est une sorte de diplôme d'opérette que chacun arborera avec fierté. Sa valeur est sujette à caution puisque quiconque ayant accompli au moins 100 kilomètres – un parcours dérisoire pour les «vrais» marcheurs – à pied ou même à vélo peut l'obtenir. En outre, la Compostela a perdu de son intérêt religieux puisqu'elle ne fait plus gagner d'années de purgatoire. Néanmoins, l'académie qui la délivre demande si vous avez fait le chemin par conviction religieuse ou «pour des raisons spirituelles». Il faut croire que celle qui est délivrée au croyant, rédigée en latin, reste une vague promesse de bon accueil au paradis. Je n'avais nul besoin de cette preuve, mais va pour le folklore. Je me sentais fort peu pèlerin mais plus volontiers pérégrin.

Ayant depuis fort longtemps réglé ce problème personnel, je me préoccupais peu des croyances et des croyants. Une seule question m'obsédait depuis le départ : que faire de ma retraite ? Pour y réfléchir, je venais de réviser mon capital de souvenirs dont je m'étais… religieusement projeté le film mental pendant quatre semaines entre Paris et Le Puy-en-Velay. Quelques repères devaient m'éviter de me perdre dans mes pensées. Et d'abord ce principe auquel je tiens : tout être humain doit avoir une implication sociale. Dans la fourmilière humaine, nul ne peut, s'il jouit de toutes ses facultés, s'exonérer d'une part, fût-elle infime, d'apport aux autres. Prouver et se prouver qu'il paie, même à l'économie, son passage sur cette magnifique terre qui est la nôtre, et marquer sa trace en ajoutant une pierre ou un grain de sable au mur de l'humanité.

Une fois passé Le Puy, le chemin changeait de nature. Depuis mon départ de Paris, j'avais marché en solitaire sur un GR peu fréquenté. Soigneusement balisé, cet itinéraire plus facile à suivre monopolisait moins l'attention, me laissant davantage à mes réflexions. Après Le Puy, dès le premier gîte, j'ai retrouvé une dizaine de marcheurs autour de la table commune : un Canadien, un Brésilien, deux Belges, une Allemande et une demi-douzaine de Français, tous âges et sexes confondus. J'ai tout de suite été agréablement surpris par la qualité de ces compagnons du godillot. Ici, point de pédants, d'arrogants ou de supersportifs soucieux de «battre leur record». Je découvrais des êtres en recherche de quelque chose ou d'eux-mêmes. Sur ce chemin, chacun est attentif à l'autre. Les difficultés de la marche et du temps rendent humble. Le dépouillement égalise. Nulle ostentation dans la tenue. Impossible de détecter à première vue le riche ou le pauvre, le croyant ou l'impie, car les uns

et les autres arborent pratiquement les mêmes vêtements et la symbolique coquille Saint-Jacques. La
mienne était minuscule, accrochée à mon chapeau,
mais j'y tenais. Ceux qui croient au ciel et ceux qui
n'y croient pas foulent le même sol, dorment dans
des lits semblables et vont obstinément vers Saint-
Jacques en comprenant tôt ou tard que l'essentiel
n'est pas le but mais le chemin. La majorité était
partie dans le même état d'esprit que moi : pour se
débarrasser des scories d'une vie qui ne les satis-
faisait pas totalement, prendre de la distance, éla-
borer une réflexion importante à leurs yeux. Jeunes
s'interrogeant sur la vie qui vient, vieux se ques-
tionnant sur la vie qui va, leurs pas les portaient,
mais l'esprit dominait.

Chaque soir en arrivant au gîte, fourbus par
l'étape, ils posaient le sac et se précipitaient sous la
douche. Dans l'attente de l'heure du dîner, chacun
se coulait ensuite dans un endroit discret et sortait
un petit carnet pour y noter ses pensées et les événements du chemin. Loin du bruit, coupés pour
un temps des médias et des choses du monde, les
pèlerins de Compostelle deviennent écrivains et pen-
seurs par la magie de la marche. La longue solitude
de la première partie du trajet m'avait beaucoup
appris sur moi-même. Il me restait maintenant à en
faire la synthèse, à en tirer des conclusions.

Je recommande à chacun cet exercice de mémoire. Nous n'en avons que rarement le loisir. Il m'a passionné. J'étais arrivé sur cette terre sans que les bonnes fées fassent beaucoup d'efforts pour la circonstance. Je me souviens de mon étonnement en découvrant, vers la quarantaine, à Gathemo, un petit village du bocage normand, la demeure où je suis né. Mes parents habitaient alors dans une maison minuscule composée d'une seule pièce qui ne devait pas dépasser les trente mètres carrés. Il n'avait pas été facile de trouver une place pour le berceau. Outre mes parents, trois sœurs et un frère occupaient déjà l'espace où l'on avait aussi casé une table et deux bancs, un buffet et une cuisinière en fonte. L'eau, il fallait aller la puiser à la fontaine dans un pré voisin, par des chemins gadouilleux : une source de conflit entre mes sœurs, surtout en hiver, à la nuit tombée, quand l'obscurité rend toutes choses menaçantes et le seau plus lourd.

Après leur déménagement à Vire, mes parents disposèrent de trois pièces, mais deux sœurs supplémentaires vinrent s'ajouter à la tribu. La tuberculose, cette maladie des pauvres, frappa deux de mes sœurs et moi-même. Le salaire de mon granitier de père n'était guère important et je ne pense pas qu'il ait jamais dépassé le SMIG. À ces difficultés existentielles s'en ajouta une autre. Je suis né juste avant la guerre, et les premiers souvenirs que j'ai exhumés de ma mémoire sur mon chemin vers Le Puy sont des images de carnage. Je me souviens avec une acuité parfaite des premières bombes tombant autour de nous, de notre fuite sous la mitraille et des flammes immenses s'élevant de notre petite ville détruite par les premiers combats de 1944, qui firent plusieurs centaines de victimes. Je me souviens de tous ces fusils épars, et de ces soldats allemands morts, poussés au bord de la route, qui pourrissaient près des camions ou des chars calcinés en attendant qu'on ait achevé de s'occuper des vivants. Les cadavres alliés avaient été emportés et enterrés en priorité, rapatriés chez eux. Malheur aux morts vaincus. Ils se décomposeraient sur la terre où, par crainte de problèmes sanitaires, on finit par les ensevelir en se bouchant le nez. Vire, avec Saint-Lô, eut le privilège douteux d'être l'une des premières villes rasées tout juste après le débarquement allié.

Par manque de flair guerrier, mais portés par un amour filial fouetté par les circonstances dramatiques, mon père et ma mère se rapprochèrent de leurs parents. Nous marchâmes deux jours en nous cachant lorsque des avions fondaient sur nous en piqué. Michelle, ma plus jeune sœur, fit le chemin en landau. Jeannine dans les bras des adultes qui se la repassaient lorsqu'elle devenait trop lourde. À 6 ans, j'étais assez grand pour marcher. Nous remontions vers le front, croisant des soldats allemands en débandade. Notre odyssée nous amena près de Mortain où se déroulèrent les combats les plus violents lors de la contre-offensive allemande. J'ai vu, à 6 ans, sur l'herbe de la maison de mon grand-père, les premiers morts américains et allemands mêlés. L'image horrible et charbonnée d'un soldat pétrifié par la langue d'un lance-flammes – il était debout, accroché à une barrière qu'il s'apprêtait à sauter – me poursuivit pendant de nombreuses années. Elle m'a fait haïr la violence à jamais.

Ma première scolarité, interrompue car l'école avait été broyée par les bombes, a duré deux mois. Plus tard, servi par une bonne mémoire, j'ai aimé les études. M. Hélie, l'instituteur que j'adorais, craignais et respectais, militant accompli de l'école républicaine, mécano généreux de l'ascenseur social, traversa la ville pour convaincre mes parents de m'envoyer au collège passer l'examen d'entrée en sixième. J'avais 11 ans et même si j'obtenais le certificat d'études plus tôt, la scolarité était obligatoire jusqu'à 14 ans. Il leur expliqua que je devais au moins aller jusqu'au BEPC au lieu de perdre trois années dans sa classe. Mes parents acceptèrent le sacrifice bien qu'on leur ait refusé une bourse. C'est ainsi que je fus le seul de la famille à décrocher un diplôme. Mes sœurs et mon frère, ayant travaillé dès l'âge de 14 ans, n'ont pas eu la même opportunité. Ce qui ne les empêcha pas de mener leur barque au mieux dans un temps où, pour trouver un emploi, il suffisait d'en avoir envie. Et nos géniteurs nous avaient inculqué la valeur du travail dès le biberon. Mais, sitôt mon BEPC en poche, l'effort qu'ils faisaient pour payer ma scolarité me devint intolérable. Les pauvres donnent sans compter. Ils ne se sentent pas tenus de recevoir de la même manière. J'abandonnai les études à la fin du collège. Je n'endurais plus d'avoir un père illettré, une mère analphabète et de vivre, moi le «savant», à leurs dépens. J'ai travaillé.

Jusqu'à ce que je quitte le nid familial, je remettais, comme tous les hommes de la maison, ma paie à ma mère à la fin de chaque mois. Plus tard, j'ai multiplié les petits métiers, mais je n'ai jamais perdu le goût des études ni la passion de la lecture. Lorsque, enfin, j'ai réussi le concours d'entrée au Centre de formation des journalistes, j'ai eu, pour la première fois, l'impression d'avoir prise sur mon destin.

De cette analyse rétrospective accomplie pas à pas alors que j'allais vers Roncevaux, marchant au milieu des champs de fleurs de l'Aubrac et des «plus beaux villages de France» qui bordent le Lot, je me devais de faire le bilan. À bien y regarder, ma vie avait été, malgré les difficultés et les coups du sort, marquée par la chance. Chance d'avoir échappé aux bombes, d'avoir grandi dans une famille où le foie gras était inconnu mais l'amour servi à tous les repas, d'avoir rencontré M. Hélie ou M. Letondot, mon professeur de sciences naturelles à la gentillesse si raffinée qui m'a confirmé dans mon amour de la nature. Chance encore d'avoir exercé un métier qui m'a autant appris que je lui ai donné, bonheur d'avoir fondé une jolie famille... Si, au premier abord, les fées avaient été un peu paresseuses, elles m'avaient ensuite offert de belles occasions que j'ai eu la bonne idée de saisir. Certes, elles avaient eu quelques absences : une longue maladie, la mort d'un premier enfant, celle d'un frère, puis d'une sœur adorée et surtout la disparition de Danièle à 49 ans m'avaient plusieurs fois jeté au sol. Chemin faisant, j'en vins à la conclusion que j'étais redevable au destin, à la providence ou à quelque dieu protecteur, d'être finalement né à une époque et dans une société qui m'avaient donné l'occasion de m'accomplir.

De telles pensées m'ont tout naturellement conduit à l'idée que j'avais beaucoup reçu et qu'il me fallait maintenant, dans la dernière ligne droite, rendre un peu de ce qui m'avait été accordé. Mais quoi et à qui? Là encore, ma propre existence m'offrait la réponse. Si j'avais pu, à un moment décisif de ma vie, entreprendre des études (presque) supérieures, c'était grâce à mon instituteur. En ouvrant à l'adolescent que je devenais les portes de la connaissance et de la curiosité des choses, il avait transformé ma vie. Dès lors, j'ai pris une décision : durant ma retraite, j'aiderais des jeunes auxquels l'existence n'avait pas donné les mêmes chances qu'à moi. Je trouvais intéressant d'offrir en quelque sorte un «petit pont» de fraternité. Moi, le retraité qui allais vers la fin de ma vie, je me devais de tendre la main à ceux qui avaient quelque peine à la commencer. Le premier sillon était tracé, mais le champ restait vaste. Aider qui? Comment? Je n'ai pas eu à chercher longtemps. La chance, une fois encore, m'a tendu la perche et fait un signe dans les monts du Forez.

Lecteur, si tu n'es pas marcheur, il faut savoir qu'en Europe les aventuriers au petit pied circulent la plupart du temps sur des chemins de grande randonnée, les GR. Ils sont balisés par des signes – un trait blanc et un trait rouge superposés – placés sur tout ce qui est à hauteur de regard : arbres, murs, poteaux de clôture ou téléphoniques... Si le marcheur prend une mauvaise direction, une croix blanche et rouge lui indique qu'il fait fausse route et qu'il doit rebrousser chemin à la recherche de la bonne trace. En montagne, lorsque le chemin s'élève et passe au-dessus de la limite des arbres, les signes sont tracés sur des pierres. Or, quand j'atteignis les monts du Forez et dépassai la limite des arbres, la pluie qui m'avait accablé jusque-là s'était transformée en neige à cause de l'altitude. Sur les cailloux habillés de blanc, les traces n'étaient plus visibles. Je m'égarai. Un paysan sur son tracteur m'orienta vers une auberge proche qui allait m'éviter de passer la nuit dans la neige. J'étais le seul client. Les patrons qui s'affairaient mollement en vue de la saison d'été avaient encore le temps de bavarder.

– Et où allez-vous comme ça ?

– À Compostelle.

– Ah... Il y a quinze jours, deux prisonniers belges accompagnés de leur gardien sont passés ici. Ils avaient été condamnés par le juge à se rendre à Compostelle.

J'ai pouffé.

– Il est vrai qu'au Moyen Âge, on condamnait des gens à faire le pèlerinage, mais aujourd'hui, même chez les Belges que nous, les Français, brocardons si volontiers, ça n'existe plus !

Lorsque je suis reparti au matin, ma curiosité était

piquée et, après Le Puy, au hasard des rencontres, je me suis enquis des «prisonniers» belges. Peu à peu, j'ai pu rétablir la vérité, quelque peu différente. Il s'agissait de deux adolescents délinquants auxquels le juge avait proposé une alternative : un long voyage ou la prison. L'association qui s'occupait des marcheurs avait choisi la route de Compostelle. Ce fut une révélation. Depuis plus d'un mois, j'avais constaté sur moi-même les bienfaits de la marche. J'avais ressenti à quel point, au physique comme au mental, elle m'avait littéralement reconstruit. Faire marcher des jeunes délinquants à une période critique de leur vie, quelle belle idée! L'effort quotidien et les rencontres devaient immanquablement les amener à se resocialiser. Et quelle bonne idée de leur éviter, par ce biais, le pourrissoir de la prison. Stimulé par cette perspective, j'accélérai le rythme et brûlai quelques étapes d'autant plus facilement qu'après plusieurs semaines de marche j'étais dans une forme éblouissante. Ils avaient seulement quinze jours d'avance, ils n'en eurent plus que dix, puis cinq, puis deux et enfin un seul. Aussi ma déception fut-elle grande quand je n'entendis plus parler des marcheurs belges. Avaient-ils bifurqué, ou abandonné? En réalité, comme je l'apprendrais plus tard, je les avais tout simplement dépassés sans y prendre garde, parce qu'ils campaient et que je m'arrêtais dans les gîtes. À mon arrivée à Compostelle, il n'y avait plus aucune trace d'eux et il me manquait bien des informations. Mais ce que je savais me suffisait pour l'instant.

Et voici comment le 3 juillet 1998, sur le parvis de la cathédrale de Santiago, après avoir parcouru 2 325 kilomètres et une bien plus longue distance par la pensée et la réflexion, ma décision, mûrie pas à pas, était arrêtée : je consacrerais mon temps à aider des jeunes délinquants en les faisant marcher. Inutile de me torturer davantage les méninges pour imaginer un projet de retraite, celui-là était trop beau. Et puis, la providence me le servait à point nommé. Ce ne fut pas la seule décision de cette journée. J'avais, étape après étape, gîte après gîte, rencontre après rencontre, découvert la passion de la marche, le bonheur d'aller, bourré d'endorphines, vers des lieux d'une beauté époustouflante. Fallait-il que je m'arrête ? Certainement pas. Je vécus douloureusement l'arrivée à Santiago. Je venais, durant trois mois, de me gorger de paysages, de liberté et de rencontres chaleureuses, de faire la paix avec moi-même, de donner un sens à la dernière partie de ma vie. Et voilà que le rêve s'achevait sur cette place pavée, semée de dizaines de pèlerins stressés comme moi par ce réveil brutal. Certains décidaient de poursuivre symboliquement jusqu'à Finisterra (la fin des terres) pour, à l'instar des pèlerins de jadis, brûler leurs vieux vêtements sur la plage et se laver dans les vagues. D'autres, beaucoup moins nombreux, reprenaient à pied le chemin dans l'autre sens.

Les sédentaires qui ne connaissent rien à la marche ignorent les bonheurs qu'elle procure et jugent qu'elle est seulement pénible. Quelques bigots, convaincus qu'elle se doit d'être douloureuse pour être rédemptrice, ou d'autres mus par une ignorante compassion, ont planté des bornes 50 kilomètres avant Compostelle. Autant de petits piquets en forme de message : «C'est bientôt la fin de vos souffrances.» Mon sentiment était tout autre. J'étais dans un enchantement, un plaisir nouveau. La première de ces bornes me mit dans une colère noire. Je me souviens, furieux, d'avoir pissé dessus.

Mon souhait était donc de continuer à marcher. Mais où porter mes pas? Je l'ai dit, il me faut des routes chargées d'histoire. J'aime à placer mes pas dans ceux d'autres hommes qui, en d'autres temps, ont laissé leur trace. Je veux fraterniser au travers des siècles, m'instruire par la plante des pieds. L'amateur de westerns que je suis a d'abord imaginé suivre la piste de Santa Fe qu'empruntaient les pionniers américains qui débarquaient sur la côte Est des États-Unis et partaient pour la Californie et ses promesses dorées. Mais le chemin et son histoire étaient un peu courts dans l'état d'euphorie où je me trouvais. 6 000 kilomètres ? J'en avais parcouru presque la moitié en trois mois. La piste américaine aurait été avalée en sept à huit mois. Une broutille pour moi qui venais de découvrir qu'ayant tout perdu sauf le temps je disposais, en attendant « que ça finisse mal », d'une petite éternité.

J'ai vite pensé à la route de la Soie. Elle était plus conforme à mes vœux, sur le plan historique comme sur celui de la distance. Une route presque aussi vieille que l'humanité comblait mon désir d'apprendre. Quant à la distance, 12 000 kilomètres de pistes et de déserts, voilà qui convenait à ma jeunesse retrouvée et au temps infini que me donnait mon statut d'inactif rémunéré.

En foulant les pavés de la place de la cathédrale de Saint-Jacques-de-Compostelle, je savais désormais où j'allais. Un nouvel avenir, plein de promesses, s'ouvrait devant moi. J'avais 60 ans et ma dernière vie commençait.

IV

L'élan

Quand je descends du train qui me ramène de Compostelle, la voie, pour moi, est toute tracée : je pars pour la Chine. Facile à dire, reste à le faire. À cette minute, je n'ai pas la moindre idée de ce qui m'attend. Je ne connais la route de la Soie que par ouï-dire et par quelques lectures anciennes. Qu'en est-il exactement ? Il n'existe pas de précédent à ce voyage rêvé. Beaucoup de gens sont allés en Chine à cheval, en voiture, à vélo ou en avion. À pied, jamais. Le récit de Marco Polo, éloigné de la réalité d'aujourd'hui, mélange vérités et légendes. Les noms de villes ont changé. Où et comment m'informer ? J'ai beau chercher, je ne trouve pas de guide spécialisé sur la route de la Soie destiné à des marcheurs. Et pour cause : les acheteurs seraient rares. Les cartes routières, adaptées à des individus installés à un volant, sont d'un bien piètre secours pour un piéton. La géographie et la politique des contrées que je devrai traverser me sont tout aussi inconnues. Je suis même incapable de situer un seul des pays d'Asie centrale dont les noms se terminent par «stan», à l'exception du Kazakhstan d'où partaient les fusées soviétiques et de l'Afghanistan dont les journaux avaient abondamment parlé. Côté chinois, j'ai une petite idée du pays grâce à la course des Foulées de la soie que j'ai faite voici peu. Je dois maintenant revoir ma copie à l'échelle de la marche, car j'ai toujours circulé de ville en ville en avion, autobus ou train. Or, la partie chinoise – 4 500 kilomètres – représente plus du tiers du parcours que j'envisage d'accomplir.

Tout en procédant aux achats de livres et de cartes qui me seront nécessaires, je sacrifie à la tradition et au plaisir d'organiser une fête pour ma nombreuse famille à l'occasion de mes 60 ans. Je ne suis pas un adepte des «fêtes» et, il y a quelques mois encore, la seule perspective de célébrer un tel événement m'aurait fait frémir, mais puisque j'ai trouvé un contenu à mon avenir, je m'y livre avec bonheur. Certes, je ricane intérieurement à l'idée de célébrer cette nuit minuscule qui, au trois cent soixante-quatrième jour de ma cinquante-neuvième année m'a fait m'endormir «actif» et me réveiller «retraité». Elle a pourtant ouvert une page majeure de ma propre histoire.

J'ai informé de mon projet soyeux mes sœurs et la flopée de nièces et de neveux que j'adore. Au regard qu'ils me jettent, je comprends qu'ils prennent fort peu au sérieux les élucubrations d'un homme qui a sans doute trop travaillé sa vie durant et dont les facultés mentales, usées d'avoir tant servi, donnent quelques ratés. Je mesure à quel point mes intentions sont prises à la légère lorsque la cinquantaine de parents présents se cotisent pour m'offrir… un fauteuil. À bascule qui plus est! Je n'ai plus, dans leur esprit, qu'à me couler dans le moule : canapé et télé. Pour être complet, il me reste à sortir mes cannes à pêche, acheter un petit pliant et m'en aller taquiner la perche ou le goujon dans une rivière tranquille sur une rive ombragée. Ma retraite, me disent-ils à travers ce cadeau, devra être bien assise.

Ce n'est pas tout à fait mon projet. La fête a cependant un effet positif : elle me permet de passer définitivement le cap, d'accepter l'âge canonique que j'ai atteint, le troisième puisqu'on l'appelle ainsi. En revanche, je n'ai nulle envie de caler mes fesses dans un fauteuil, fût-il à bascule. D'ailleurs, pendant des années, j'éviterai de m'asseoir dessus et il ne servira qu'à mes visiteurs ravis. Pour moi, pas de doute, il faut que je bouge, et vite.

Je dévalise librairies et cartothèques, fréquente la Bibliothèque nationale, rayon livres comme rayon cartes, débusquant le moindre document susceptible de me donner une information sur le chemin. Je m'inquiète aussi du matériel à emporter, sachant qu'il devra être fort restreint. Ma science toute neuve de la randonnée, acquise sur le chemin de Compostelle, s'avère alors précieuse. Comment m'y prendre pour me guider, me protéger, me nourrir, m'abriter? Quels climats, quels dangers m'attendent? Pour le moment, je n'ai pas la moindre réponse à ces questions.

L'inquiétude m'envahit mais bizarrement, j'ignore la peur. Mon enthousiasme est tel que je balaie d'un geste de la main une partie des obstacles qui me retarderaient dans ma préparation. Je suis habité par une certitude : j'ai 60 ans, j'affronte la vie qui vient, je ne la subirai pas. Assumant toutes les conséquences, j'en serai l'acteur. Et si je veux avoir une chance de réussir, pas une minute à perdre, le temps travaille contre moi.

Si les dangers potentiels ne me font pas trembler, je ne me comporte pas en inconscient. À mes enfants qui s'inquiètent, je dis : «J'ai tout à fait l'intention de revenir. Ce n'est pas une fuite, ce n'est pas une fugue, c'est un périple, une boucle.» Je m'oblige à regarder le verre à moitié plein plutôt qu'à moitié vide, mais ne sous-estime pas les risques d'une telle expédition. L'histoire de la route, que je dévore, m'apprend que la paix n'a jamais régné sur la totalité de la route de la Soie. La violence et la guerre ont toujours sévi à quelque endroit... sauf durant le règne de Gengis Khan. On disait alors que la sécurité était telle dans tout son empire qu'une vierge portant une couronne d'or pouvait traverser l'Asie sans craindre de perdre sa vertu ou sa fortune. Il n'en va pas de même de nos jours. On s'écharpe toujours ici ou là : la guerre du Liban à peine achevée, l'Afghanistan a pris le relais ; dans le Sinkiang chinois, les indépendantistes ouïgours se livrent à des attentats contre les Chinois Han qu'ils accusent de les envahir ; en Turquie, la guérilla des Kurdes contre les Turcs n'a jamais cessé, malgré la capture et la condamnation à mort (non exécutée) de leur chef, Öcalan ; au Tadjikistan, une guerre larvée est menée par la mafia russe et de petits groupes d'extrémistes islamistes. La base de données du ministère français des Affaires étrangères me promet les pires difficultés dans la moitié des États que je devrai traverser. Si je les prenais au pied de la lettre, j'irais illico m'installer dans mon fauteuil qui tangue si bien qu'il pourrait me donner l'illusion du mal de mer. Mais, voilà, j'ai pris trop d'élan. Impossible de m'arrêter maintenant.

À regarder par l'autre bout de la lorgnette, je constate que j'ai la chance inouïe d'avoir devant moi une route qui, fermée depuis un siècle, vient de s'ouvrir. Juste pour moi! Durant le XXe siècle, elle aurait pu être rebaptisée «route des révolutions». Après la mainmise des Soviétiques sur l'Asie centrale et l'interdiction stricte de voyager faite aux Occidentaux par les bolcheviques, sinon sous étroite surveillance, Mao Zedong a fermé la partie orientale et Khomeiny, avec l'instauration d'un régime islamique, la porte de l'Iran. Or, dans les dernières années du siècle, une suite d'événements majeurs – la chute du mur de Berlin, l'ouverture de la Chine au commerce mondial et l'apaisement relatif des mollahs iraniens – a permis la réouverture de toutes les portes. À condition de zigzaguer un peu, je pourrai cheminer librement sans trop craindre les balles ou les polices politiques.

Les régimes tyranniques ou autoritaires ne représentaient pas la seule difficulté. Impossible de faire le trajet d'une traite. Le général Hiver, terrible dans ces régions, m'obligerait à de longs séjours au milieu de nulle part, quand le froid et la neige interdisent tout déplacement, surtout à pied. De nombreux villages sont coupés du monde pendant plusieurs mois. À Erzurum, les gens m'ont raconté que, pour traverser la rue et aller au magasin faire les courses, il fallait certains hivers creuser un tunnel sous la neige car elle atteignait la hauteur du premier étage des immeubles. Les médecins se rendent alors au chevet des malades en hélicoptère. Dans le Pamir, la frontière, située à près de 4 000 mètres d'altitude, est fermée de six à huit mois par an. Pas question d'attendre tranquillement en logeant chez l'habitant ou en louant une maison, comme Marco Polo, que la neige fonde pour repartir. Il me faudrait, à ce rythme, passer deux ou trois ans loin de chez moi et je ne tiens pas à quitter enfants, famille et amis pendant une aussi longue période.

À noter un changement important depuis Marco Polo : on a inventé l'avion. Je décide d'en tenir compte et de saucissonner mon périple en plusieurs étapes. Je marcherai à la belle saison et, après chaque voyage, je reviendrai au bercail par les airs. Pour déterminer la longueur de ces étapes annuelles, je procède à un calcul simple : j'ai couvert, sans trop d'efforts, les 2 300 kilomètres de Paris à Compostelle en trois mois, soit 800 kilomètres par mois. Je peux donc, sans risque d'épuisement, marcher quatre semaines supplémentaires chaque année et parcourir 3 000 kilomètres en quatre mois. C'est sur cette base que je prépare mon odyssée : après avoir quitté Istanbul en Turquie, je m'arrêterai au terme d'une marche printemps-été ou été-automne à Téhéran (Iran), puis l'année suivante à Samarcande (Ouzbékistan) ; la troisième étape me conduira à Turfan (Sinkiang chinois) pour enfin arriver à Xi'an, l'antique capitale impériale où la civilisation Han a vu le jour. Ce choix est aussi suggéré par la découverte, au fil de mes lectures, que les caravanes ne faisaient jamais le parcours d'un bout à l'autre de la route de la Soie. Les marchands, comme leur nom ne l'indique pas [1]... marchaient jusqu'à ce qu'ils trouvent un autre commerçant avec lequel échanger leurs ballots. Ensuite, ils rentraient illico à la maison. Ces étapes vont me permettre de jouer sur les altitudes et les climats en programmant mes départs à des saisons où je ne souffrirai pas trop du froid ou de la chaleur. Tout en sachant que, condamné à marcher l'été, soleil et déserts seront mes principaux ennemis... avec les hommes, les bêtes, les tempêtes... et les consuls.

Cette période de préparation se déroule dans une atmosphère joyeuse. Je lis, j'étudie des cartes, j'apprends, je jubile. Durant les huit mois qui précèdent mon départ pour Istanbul, je retrouve l'allant, l'enthousiasme, l'énergie qui m'avaient

---

1. L'origine du mot a peu à voir avec la marche mais plutôt avec «mercantile».

déserté quelques mois auparavant. Oubliés mes soixante hivers, je suis en plein printemps. Je renoue avec les bonheurs de mes 12 ans, quand je découvrais les études et le monde. Je change d'échelle. Sur le planisphère, je regardais les continents. À plat ventre sur les documents étalés dans mon séjour, j'accomplis mon premier voyage par le regard et la pensée, double décimètre en main, repérant sur mes cartes des villages aux noms exotiques dans lesquels je pourrai faire étape.

Tous mes choix, lectures, expositions, et rencontres sont dictés par mon projet de longue marche. J'ai trouvé un professeur de turc qui, deux fois par semaine, passe à la maison pour m'inculquer durant une heure les règles grammaticales de sa langue. Chaque matin, je m'impose des thèmes, des versions et remplis un cahier d'écolier ainsi que ma mémoire, qui rechigne, car elle a perdu l'habitude d'apprendre par cœur, de mots et locutions turcs. Il est indispensable de parler et de comprendre pour trouver le gîte et le couvert et surtout pour avoir un minimum d'échanges avec les personnes de rencontre.

L'obtention d'un visa iranien – les Turcs n'en demandent pas aux Européens – nécessite plusieurs allers et retours au consulat situé à Paris dans le 16e arrondissement. Les employés ne comprennent pas bien ma demande : un visa de deux mois leur paraît excessif pour aller de la frontière à Téhéran. Et, lorsque je précise que j'y vais à pied, ils se demandent visiblement si je ne me paie pas leur tête. Je devrai écrire au consul pour obtenir satisfaction. Le laissez-passer si difficilement obtenu en 1999 ne me servira à rien puisque je tomberai malade un peu avant la frontière. L'année suivante, l'employé du consulat aura une mimique que j'aurais pu interpréter si j'avais mauvais esprit comme « tiens, revoilà le marcheur fou », et me donnera sans difficulté un visa de soixante jours.

En novembre 1998, je suis si impatient et me pose tant de questions sur ces pays à travers lesquels je vais marcher qu'il me faut y aller faire un tour de repérage. Je saute dans un avion pour Istanbul que je visite pour la première fois. Je suis accueilli par Rémy, un ami de mon fils Mathieu qui habite, près de l'antique tour de Galata, un appartement d'où l'on domine toute la Corne d'Or. Les minarets fins comme des aiguilles qui jaillissent partout dans la ville me disent que je change de monde. Je passe quelques jours à me pénétrer de ce pays dans lequel je vais marcher au printemps suivant. Le directeur du Centre d'études anatoliennes, Stéphane Yerasimos, me donne de précieux conseils et je visite l'incontournable Sainte-Sophie, la mosquée Bleue, et un invraisemblable réservoir d'eau, grand comme une cathédrale, qui devait permettre à Constantinople de tenir un siège. Mais la cité ne me suffit pas : ce que je veux voir, c'est la campagne. Un bus m'emmène à une vingtaine de kilomètres et je suis rassuré de trouver, en cette saison pluvieuse, un paysage pas si différent de ma Normandie. Du coup, le cercle de trouille qui m'étreignait se desserre un peu.

À Paris, je multiplie les contacts et prépare mon voyage sans désemparer. Dans une banque turque, j'ouvre un compte qui me permettra d'utiliser une carte de retrait informatisée m'évitant de transporter trop d'argent liquide avec moi. Pour éviter les vols mais aussi pour des questions de poids : un café, à cette époque, coûte 400 000 livres turques. Dans un distributeur de billets, il faut retirer au moins une centaine de millions pour passer un ou deux jours sans retourner à la banque. J'emporterai aussi des dollars. Et sachant que j'intéresserai les voleurs, je couds des poches à l'intérieur de mes jambes de pantalon pour y planquer les précieux billets verts.

Je rends visite aux organismes culturels turcs ou iraniens. La lutte des Kurdes pour l'indépendance est alors activement soutenue par Mme Mitterrand qui, je le constaterai plus tard, est adorée par les

Kurdes et détestée des Turcs. Le patron de la représentation kurde à Paris est un homme calme et imposant. Moustachu comme il se doit, il m'écoute gravement raconter mon boniment. Il réfléchit une seconde puis, catégorique et protecteur, me donne ce conseil : «Lorsque vous arriverez à Erzurum, c'est-à-dire chez mes amis kurdes, montez dans un bus et n'en descendez qu'à la frontière iranienne. Ainsi, vous serez totalement en sécurité.» J'éclate de rire. «Je veux, lui dis-je, parcourir toute la route de la Soie à pied et il n'est pas question que je monte dans un quelconque véhicule avant d'arriver à Xi'an dans quatre ans.» L'homme réfléchit à nouveau. Visiblement, il pense qu'un Français se faisant trucider ou détrousser au Kurdistan turc serait mauvais pour l'image de son pays. Alors il change de registre : «La société kurde est très hiérarchisée et clanique, me dit-il en s'appliquant comme un maître d'école devant un élève un peu limité, vous devrez vous mettre sous la protection du chef de village. Dans chaque localité, vous n'aurez aucune peine à reconnaître une maison plus grande que les autres. Frappez à la porte. Une femme viendra vous ouvrir. Dites-lui simplement : "Je veux voir le maître." N'ajoutez rien. Chez nous, les étrangers ne parlent pas aux femmes. Le chef du village vous hébergera, vous nourrira et préviendra son homologue du prochain village qui, à son tour, assurera votre protection et ainsi de suite.»

J'écoute attentivement les mises en garde qui me sont faites, et elles sont nombreuses. Certaines m'inquiètent, d'autres m'émeuvent, mais elles ne me font aucunement renoncer à mon aventure. Au contraire, de temps à autre, je dois me convaincre : non, je ne suis pas dans un rêve, je vais bien vivre ce fabuleux voyage.

Trois mois avant mon départ, conscient que de très mauvaises rencontres ou un accident sont plausibles, je rédige mon testament. Je le glisse dans une enveloppe fermée et l'entrepose dans un tiroir en prévenant mes fils qu'en cas de pépin... Ils ne réagissent pas tout de suite mais, quelques jours plus tard, ils viennent me voir, soucieux, et me suggèrent de partir avec un téléphone par satellite. Je m'esclaffe. «Vous n'y pensez pas. Vous m'imaginez marchant dans le désert. Le téléphone sonne : "T'es où?" Et puis, si j'appelle pour dire : "Je viens de m'asseoir sur un scorpion", alors que je suis à 6 000 kilomètres de vous, que pouvez-vous faire? De plus, c'est un appareil lourd, nécessitant des batteries à recharger. Enfin, paradoxalement, cela risque de me mettre en danger en suscitant la convoitise des voleurs. Je comprends fort bien que vous soyez inquiets, mais il faudra me faire confiance. Le téléphone ne servirait en réalité qu'à vous rassurer. Lorsqu'on part pour un voyage comme celui-là, il ne faut pas se retourner.»

«Bon, me disent-ils, apparemment convaincus, mais s'il t'arrive quelque chose, où irons-nous te chercher?»

La question mérite réponse. Si je devais laisser ma vie au long du parcours, j'aimerais être inhumé au côté de Danièle, dans le petit cimetière communal du village, à l'ombre de l'église et de son clocher à l'air un peu penché. Quelques jours plus tard, je propose à mes deux gamins inquiets – ils ont 27 et 30 ans, mais un enfant cesse-t-il un jour d'être votre gamin? – d'écrire chaque jour sur une feuille volante le récit de ma journée et de la glisser dans une enveloppe cachetée. Dès que je trouverai une poste, je me l'enverrai à moi-même en France. Ainsi, avec certes un décalage important, ils seront informés au jour le jour de mon parcours et des péripéties éventuelles. Si les courriers n'arrivent plus, si je cesse en quelque sorte d'émettre, il leur suffira, à l'aide du plan de marche que je leur laisserai, de me chercher à partir de l'endroit d'où est partie la dernière missive.

Sont-ils totalement rassurés? Je l'ignore mais ils m'assurent qu'ils sont contents et fiers de mon projet. Leur confiance me rassérène. On m'a parfois posé la question : «Si Danièle avait été présente, serais-tu parti?» Je n'ai pas la réponse. Elle aussi me faisait entièrement confiance. Depuis toujours, nous nous accordions chaque année une semaine de vacances en solitaire pendant que l'autre gardait les enfants. Mais entre une semaine et quatre mois, il y a une marge. Aurait-elle accepté des séparations si longues? Aurais-je, moi, eu le courage de l'abandonner aussi longtemps chaque année?

À mesure que je progresse dans la préparation de mon odyssée, je mesure mieux la portée du voyage. Ce que j'avais a priori envisagé comme une promenade de santé, juste un Compostelle un peu plus long, s'avère chaque jour plus exceptionnel. Je vais découvrir par le menu des pays mal connus des Occidentaux, des peuples tenus dans l'ignorance des affaires du monde, enclavés, coupés de tout depuis des dizaines d'années. Je serai presque un découvreur, un ouvreur de nouveaux paysages, un lien avec des populations qui, à travers moi, rencontreront l'Occident. C'est ainsi que me vient l'idée d'écrire un livre : pour partager mon expérience et rédiger en quelque sorte mon dernier grand reportage.

Il me reste deux mois avant de partir, je n'ai donc pas de temps à perdre. Le lendemain, une lettre part chez trois éditeurs. Elle est simple : au recto, j'explique mon projet, au verso, je me présente. Le premier me renvoie rapidement une lettre type : «Malgré l'intérêt... nous sommes au regret de...» Le second juge le projet intéressant : «Faites votre voyage, rédigez le manuscrit et revenez me voir dans quatre ans.» Le troisième courrier, adressé aux éditions Phébus, est pris plus au sérieux. J'aime les livres publiés par cette maison pour la qualité des textes et la beauté des couvertures. Jane Sctrick, la directrice littéraire, me reçoit en compagnie du directeur, Jean-Pierre Sicre, un personnage étonnant, à la tignasse grisonnante coiffée au bol, à la culture aussi immense que son tour de taille. À leur première question – je l'ai déjà entendue cent fois : «Pourquoi diable une telle aventure?», j'ai mille réponses mais n'en donne qu'une : «Je veux voir Samarcande, ce nom que j'ai trouvé dans un livre d'aventures quand j'étais gamin m'a toujours fait rêver.»

– Samarcande, dit Jean-Pierre Sicre, songeur, moi, ma ville de prédilection, ce serait plutôt Kashgar.

– Pour moi, ajoute Jane Sctrick, c'est Tombouctou.

Dans la conversation amicale et détendue qui s'engage, je jette soudain : «Finalement, ce n'est pas un livre mais plusieurs qu'il faudrait écrire, un par an.» L'aventure, ils l'ont tentée avec moi. Avec, sans doute, autant d'inconscience et de hardiesse. Lors de mon départ, j'avais en poche un contrat pour quatre livres ainsi qu'un chèque, modeste certes, mais qui témoignait de la réalité de l'engagement. Je m'étais promis de le détruire si, au retour, mon manuscrit était refusé. Je l'ai finalement encaissé quelques mois plus tard.

Le livre allait en réalité transformer mon voyage. Je ne partais plus seul. À chaque pas, j'étais désormais les yeux, le nez, les oreilles et la sensibilité d'un personnage virtuel qui ne me quittera pas d'une semelle : mon lecteur. Aujourd'hui, si j'en juge par l'incroyable somme de courriers que m'ont value les trois volumes de *Longue marche,* je devrais dire «ma» lectrice. J'en ai eu cent fois la confirmation : les femmes sont plus avides d'aventure que les hommes ou, du moins, manifestent plus volontiers leur intérêt.

Durant cette période, je passe par des périodes d'excitation extrême. À certaines heures et pendant la majeure partie des préparatifs, je me répète que l'aventure sera fabuleuse, une sorte de première mondiale [1]. Ce que je lis sur le plan historique me

1. Jun Watanabe et Nobuo Naito qui ont traduit mes livres en japonais m'ont assuré qu'un de leurs compatriotes a marché d'est en ouest sur la route de la Soie. Mon «exploit» ne serait donc pas unique.

fascine. Mais lorsque approche l'heure du départ, je tombe dans une véritable minidépression, car tout ce que je découvre sur les régimes des pays à traverser me terrifie. Un départ est une rupture, un saut dans l'inconnu. L'âge ne fait rien à l'affaire, qu'on ait 15 ans pour une fugue, 25 ans pour découvrir le monde ou 60 ans pour arpenter la plus grande route de l'histoire, partir c'est se préparer, se dépouiller, repousser la peur.

D'un bout à l'autre de mon parcours, je ne peux m'appuyer sur aucune information fiable, sur aucune certitude. À l'exception de la Turquie, assez proche d'une démocratie occidentale, toutes les autres nations sont dirigées par des autocrates, des despotes, des dictateurs plus ou moins violents et corrompus. Le consulat d'une Turquie pourtant démocratique et policée m'a mis en garde avec des histoires édifiantes de touristes esseulés qu'on retrouvait drogués et en caleçon, dépouillés de leurs papiers, de leur argent et de leurs vêtements. En Asie centrale, la police, dit-on, n'hésite pas à arrêter les voyageurs et à leur soutirer leurs dollars par l'intimidation. Si des touristes en groupe ne sont pas en sécurité, qu'en sera-t-il de moi, pauvre piéton chargé de son sac à dos? Si je suis arrêté, blessé, volé, comment le faire savoir, comment appeler à l'aide?

Peu à peu, un doute m'envahit. Certes, je veux vivre et vivre fort. Mais pas au point de risquer la mort. Bien sûr, les paysages que je découvre sur les revues sont fascinants, les monuments magiques, les populations souriantes. Mais n'est-ce pas uniquement pour attirer les pauvres voyageurs dans des pièges ? Réaliser un rêve vaut-il de prendre le risque de mourir ? Toutes ces merveilles valent-elles les périls que j'entrevois ? Quelques jours avant le départ, la machine à fabriquer de l'optimisme qui me faisait aller depuis huit mois s'inverse et broie du noir. À quoi bon affronter des dangers alors que les voyages organisés m'offrent la sécurité ? C'était à un voyage sans risque que j'avais souscrit avec les Foulées de la soie. À tout moment, j'étais protégé, nourri. Un interprète me permettait de communiquer avec les populations et si j'étais tombé malade, on m'aurait pris en charge immédiatement. Il y avait là une structure, des officiels, des responsables pour aplanir les obstacles, éviter les embûches. Dans ce type d'expédition, impossible de mourir de soif dans un désert, de tomber dans un gouffre du Pamir, ou d'être bousculé, blessé, voire tué au coin d'un bois par des voleurs avides. Tandis que seul et à pied...

Et puis ne suis-je pas trop vieux pour me lancer dans une telle expédition ? À mon cinquantième anniversaire, j'ai déprimé quelque peu parce que j'ai pensé que je basculais dans la vieillesse. L'image que j'avais du quinquagénaire, c'était celle du père Clérambeau, un voisin de ma tante Louise, dans le bocage normand. Nous ramenions une charrette de foin pour l'engranger quand il me dit : « Monte dans le tas de foin, moi je ne peux plus, trop vieux. Tu penses, à 52 ans ! » Si, à 52 ans, on est trop vieux pour affronter la chaleur étouffante du tas de foin, que dire alors d'un départ au bout du monde à 61 ans, avec quatre déserts à traverser…

Heureusement, mes lectures sur l'histoire de la route de la Soie, me rassurent. Xuan Zhang est déjà presque un vieillard quand il part de Xi'an, la capitale impériale de la Chine, pour l'Inde, à la recherche des racines du bouddhisme qui s'est quelque peu dénaturé dans l'empire du Milieu. Son voyage durera quatorze ans. Il reviendra, passé 60 ans, porteur de milliers de manuscrits qu'il a quêtés dans les terres natales du Bouddha. Son épopée sera contée plus tard dans un grand classique de la littérature chinoise : *Le Voyage vers l'ouest*. J'irai, en arrivant à Xi'an, me recueillir dans la Grande Pagode des oies sauvages où il a terminé sa vie, vieillard savant et laborieux, à étudier les textes sacrés du bouddhisme, dans le respect et l'affection de ses contemporains. D'autres voyageurs célèbres ont pris la route alors que la logique aurait été qu'ils prennent leur retraite. Les progrès de l'hygiène et de la médecine font qu'aujourd'hui, à 60 ans, un homme a conservé pratiquement toutes ses facultés physiques et que ses capacités intellectuelles sont intactes.

Je déprime donc allégrement, mais continue à boucler mon sac, à préparer le voyage. Aujourd'hui, avec le recul, je pense que si je suis parti, c'est parce qu'il m'était impossible de reculer sans perdre la face. De plus, le programme que j'avais retenu me laissait tout loisir de faire marche arrière en cas de difficulté. Et puis les dangers paraissaient fort éloignés. Prendre le train à la gare d'Austerlitz n'a rien d'une équipée dangereuse. Pas plus que d'emprunter un bateau de Venise à Istanbul. Après, on verrait bien.

Je n'étais pas le seul à m'inquiéter. Mes deux fils ont tenu à se faire photographier chacun à mon côté avant le départ du train. Quand il a démarré et que la nuit l'a enveloppé, je me suis demandé si ce n'était pas pour garder un ultime souvenir de leur père, avant d'être obligés d'aller rechercher son cadavre peu présentable dans un coin perdu d'Asie. Pour ma part, le nez collé à la vitre où défilait de plus en plus vite la banlieue parisienne, je me suis souvenu de cette histoire d'un type qui tombe du huitième étage et se dit à chaque étage : «Jusqu'ici, ça va.»

Trois mois plus tard, mes enfants venaient me récupérer à Orly… sur un brancard.

V

La route de la Soie

On a 60 ans et l'on croit tout savoir. J'avais cru que ma vie, avec la retraite, s'achevait. En partant pour une folle aventure, je me suis inventé une autre existence.

Pourtant, à l'instant où j'ai mis le pied sur le ferry qui traversait le Bosphore et vu s'éloigner l'antique tour de Galata, cet avant-poste du continent européen, je ne donnais pas cher de mes chances de réussite. Arrivant dans l'immense Asie, j'avais de la peine à appréhender la réalité de la route qui, 12 000 kilomètres plus loin, me conduirait à Xi'an la Chinoise. Je ne changeais pas seulement de continent, je changeais d'allure, d'échelle. Dans le monde où nous vivons, où la précipitation et l'urgence sont absurdement asso-ciées au progrès, des camions énormes se collettent à des voitures dont le prix monte en même temps que leur capacité à aller vite. Faute de chemins recensés, j'ai dû le plus souvent marcher sur cette route empruntée par des chauffeurs fous de vitesse. Pari risqué. Je serai le plus petit, le plus lent, le plus fragile, moustique confronté à l'acier rugissant.

J'ai tout autant de difficultés à imaginer les hommes et les femmes que je vais rencontrer. Je ne sais finalement, malgré mon appétit de lecture depuis un an, que peu de chose sur leurs civilisations, leurs modes de vie, leurs cultures. L'islam, le bouddhisme et toutes ces querelles religieuses me sont aussi incompréhensibles, agnostique et ignorant que je suis, que la transsubstantiation qu'un prêtre tenta de m'expliquer un jour où je ne séchais pas le catéchisme où ma mère s'obstinait à m'envoyer.

Néanmoins, je pars, je plonge dans ces mondes lointains avec un appétit de jeune homme. Bien sûr, j'ai peur de tout. De ces inconnus. Des récits terribles que j'ai lus comme l'histoire de cet aubergiste ouzbek qui, dans les années vingt, empoisonnait les voyageurs pour les détrousser et les donnait à manger à son ours. La religion, le niveau et le mode de vie, l'histoire, la culture, la nourriture, les paysages, les yeux bridés, la couleur de peau, tout diffère, tout me touche.

Dès les premiers pas, les premiers villages, je suis rassuré. On m'accueille, on me fête. On essaie aussi – rarement – de me voler. Leur monde est comme le nôtre, juste un peu plus brutal, un peu moins hypocrite. Si ce voyage m'enthousiasme, c'est qu'il me ramène à ma condition d'humain. La grande famille des marcheurs ne connaît ni âge ni castes. Dans la plupart des modestes hameaux où je fais halte, je rencontre un grand succès de curiosité. Le deuxième jour, on fait dormir le *katolik* dans la salle où l'imam enseigne sa religion aux enfants et on l'emmène visiter la mosquée.

Au cours de ce périple, je vais peu à peu découvrir l'islam, sa pensée, sa pratique, ses rites, ses sectes ainsi que l'extraordinaire prégnance qu'il exerce sur les populations. Ce n'est qu'au Kirghizstan qu'un homme débordant d'humanité, Toktogoul, m'avouera sans détour être agnostique. La religion... elle est devenue si discrète chez nous que je n'y pensais plus guère. En découvrant l'islam et en particulier les pratiques violentes de certains de ses fidèles, je ne peux m'empêcher d'établir quelques ponts avec notre propre histoire. Qui sommes-nous pour juger sévèrement l'intégrisme et la violence religieuse entre chiites et sunnites nous qui avons exterminé les Albigeois, perpétré la Saint-Barthélemy et coupé la tête du chevalier de La Barre parce qu'il avait refusé d'ôter son chapeau au passage d'une procession? Ce voyage n'est pas seulement un bain de jouvence pour mes muscles, il complète ma culture et ma réflexion sur ma propre histoire. Plus tard, je ne manquerai jamais d'encourager toutes les initiatives visant à faire voyager des jeunes à l'étranger : de loin on voit mieux ce qui se passe chez soi. Les rencontres, sur cette route où se côtoient le rêve et quelques cauchemars, m'enchantent. Pas tant à cause de leur exotisme que de la qualité des échanges. Pourtant, je viens d'un pays prospère et, comparé à la situation de ces paysans démunis, je suis quelqu'un de riche. En toute humilité, je suis bien plus savant que n'importe lequel d'entre eux : j'ai beaucoup voyagé, et j'ai, grâce à mon métier, côtoyé ce qu'on appelle les «grands hommes». Deux mondes. Et cependant, chaque jour, je me découvre un ami.

D'emblée, nous sommes à égalité, lui l'homme fruste et pauvre et moi le nanti. C'est lui qui donne et moi qui prends et qui apprends. Je les étonne, ces paysans usés avant l'âge, brûlés par le soleil, le froid et la longue lutte pour travailler la terre. Lorsqu'ils me demandent mon âge, ils refusent de me croire jusqu'à ce que je leur mette mon passeport sous le nez. Au même âge, ils ont depuis longtemps renoncé et attendent tranquillement leur fin, si possible en allant à La Mecque chercher une assurance pour le paradis. Avantage rare chez nous, le respect dû à l'autre croît avec les années et les cheveux blancs qui sont l'objet d'une révérence absolue. Les vieux, les *aksakals* comme on les appelle dans toute l'Asie centrale, quelle que soit la langue pratiquée – et elles sont nombreuses –, sont fêtés, consultés, obéis. Je ne suis pas – pas encore – un aksakal. La preuve, dans certains villages, l'air très exotique que me donnent mon short et mon drôle de sac sur le dos amène les gamins à rigoler sur mon passage. Mais qu'un vieil homme, assis sur le pas de sa porte, jette : « Calmez-vous les enfants » et un silence respectueux et immédiat témoigne de l'ascendant des barbes blanches. À deux ou trois reprises, un aksakal, apprenant mon âge et mon projet, se frappera la tempe de l'index, signe international et facilement traduit qui veut dire « dérangé du cerveau ». Et lui comme moi éclaterons d'un grand rire de connivence.

Vieux moi ? Pas du tout. J'ai beau me pincer, je n'en crois pas mes propres sensations. Je suis redevenu, jour après jour, un jeune homme. Mes muscles se sont fait oublier. Ils roulent sous ma peau comme des mécaniques bien huilées. Je peux marcher 30, 40, 50 kilomètres sans ressentir la fatigue. Lorsqu'elle survient, à force de côtes, de soleil ou de vent, une courte nuit l'efface comme par miracle. Moi l'insomniaque, je dors comme un bébé sur une natte ou les pierres du désert. Tout ce que je savais prend une signification nouvelle. Je remets tout à plat. Que veut dire «vieux» dans ce monde que je découvre? Que veut dire «retraité» dans cet univers où la retraite est inconnue, où l'on travaille jusqu'au bord de la tombe? Que veut dire «riche» lorsque l'amitié, cette vertu inestimable, enrichit chacun sans faire de différences? Comment pourrais-je jamais oublier l'éblouissement d'une rencontre avec Sélim, le merveilleux bûcheron-philosophe[1], l'accueil si désintéressé de Mostefa, l'épicier, celui de M. Liu, dans la dépression chinoise de Turfan, ou encore la discussion très littéraire avec Behtçet, ce paysan qui s'inquiète de savoir si j'ai lu Malebranche? Et comment remercier Oumar qui sacrifie le vélo de son fils pour mettre de bonnes roues à mon chariot – que j'ai baptisé Ulysse – et n'accepte qu'une accolade en paiement? Un gardien de chèvres, un professeur d'université, un chef de village... je découvre cette société si diverse, si ouverte, si humaine comme si

---

1. Au moment où j'écris ces lignes, j'apprends que Sélim a été retrouvé mort, entouré de ses chers livres, dans sa maison de Yeni Darlik.

un soc de charrue l'avait tranchée en son milieu, me révélant la profondeur de son âme.

La traversée de l'Iran efface dans mon esprit toutes les images violentes que l'actualité nous impose depuis des années. Je découvre une population gentille, cultivée, accueillante en diable, opposant à la violence et à la tyrannie des mollahs une résistance calme et têtue, et répondant à la brutalité des *pasdarans*, ces policiers de la religion, en récitant les stances de leurs poètes qui chantent les femmes et le vin comme autant d'hymnes à la liberté. Notre information, à force de traquer l'inédit ou l'exceptionnel, nous fait passer à côté de l'essentiel. Il est vrai que les images télévisées d'une pendaison sont bien utiles pour capter l'audience. Le bonheur, lui, est infilmable. Les populations bâillonnées ne peuvent parler sans crainte de représailles. Pourtant, à moi, le marcheur, l'homme qui vient au-devant de ces êtres écrasés par la violence institutionnelle, ils parlent. Et, malgré les risques, ils m'accueillent. Toutes mes certitudes s'effondrent. Je viens d'un monde du seul contre tous, je tombe dans un autre, celui du tous pour un, moi. Je viens d'une immense métropole où je ne suis qu'un grain de sable dans un désert immense, et voici que je suis cajolé, fêté. Non pas parce que c'est moi, mais parce qu'ici un être humain est unique et traité comme tel. Chaque jour, je me répète que c'était une folie, certes, de partir. Mais j'ai bien fait. Et voici qu'en un instant, par ce geste magique, cette enjambée banale devenue extraordinaire, ce premier pas suivi de millions d'autres, j'ai changé d'univers, d'époque, d'existence.

Je croyais tout savoir et j'apprends comme un fou : les hommes, les religions, les langues. Chaque matin, durant ces quatre étés, j'ai marché en révisant mes leçons de turc, de farsi (la langue iranienne), de russe, si utile en Asie centrale. Je me suis gavé de paysages sublimes. Auparavant, profitant de mes voyages professionnels, j'avais aperçu les lagons océaniens, les forêts d'Afrique et le grand canyon du Colorado, en touriste pressé. Et voici que je progresse calmement sur les hauts plateaux anatoliens, en attendant le désert du Dasht e Kavir, les neiges du Pamir et les montagnes jardinées du lœss chinois. Comme un gamin émerveillé, je m'immerge dans ce monde unique et si divers d'hommes aux mains tendues et aux bras ouverts.

L'aventure de la route de la Soie me réapprend la vie et me met en face de la mort. Je te l'ai dit, lecteur, comme je l'avais promis à mes enfants, je ferai tout pour revenir. Mais qui décide en définitive ? Durant l'ensemble du parcours, j'ai échappé, par une suite de coups de chance, à quelques tentatives peu amènes de raccourcir le cours de mon existence : une attaque brutale de *kangals*, ces chiens tueurs à demi sauvages qui défendent les troupeaux contre les ours, les loups et, éventuellement, les Bernard qui s'approchent trop près ; des voleurs qui se sont fixé comme objectif de prendre ma bourse et, puisque je n'étais pas d'accord, ma vie par la même occasion ; j'ai failli finir dans un ravin l'unique fois où, m'étant perdu, j'étais monté sur le tracteur d'un paysan serviable et distrait ; j'ai réussi à éviter les cobras et les scorpions du Karakoum et sauté dans un fossé des dizaines de fois pour ne pas périr sous les roues d'un camion comme mon malheureux père. La rédaction de mon testament aurait pu ne pas être inutile.

Chaque matin, je remettais ma vie en jeu. Serai-je ce soir accueilli comme un messie ou égorgé par quelque fou convaincu que j'ai l'or de la banque de France dans mon sac ? Trouverai-je à manger et à boire avant la tombée de la nuit ? J'allais à la fois confiant et aux aguets, prêt au meilleur comme au pire. Ma vie n'était plus ce ruban uniforme et sécurisé que j'avais déroulé pendant soixante ans. Je vivais à cent pour cent, attachant d'autant plus de prix à mon existence qu'elle fut plusieurs fois menacée. Je n'aurais cédé ma place pour rien au monde, trop content d'être en forme, ni «liquidé», ni «en retraite».

Un soir, au village d'Alihadj, j'ai regardé la mort en face. J'ai cru que les habitants allaient me trucider. Ce fut une soirée de folie collective. Le matin même – c'était le 16 juin 1999 – j'avais franchi à onze heures le millième kilomètre depuis mon départ d'Istanbul. À deux heures, trois hommes en tracteur avaient tenté de me précipiter dans un ravin puis sous les roues de leur machine pour m'arracher mon sac. J'avais tenu bon, sauvé encore une fois par la chance, mais mon moral en avait pris un coup. Et voici que j'arrivais le soir dans un village misérable portant le nom d'un certain Ali qui avait fait le pèlerinage de La Mecque et était devenu *hadj* à une époque où ce voyage se faisait à pied et non plus comme maintenant en jet. Depuis plusieurs jours, à chaque étape, on m'annonçait que dans le village suivant, puisque je n'avais ni pistolet ni fusil, on me couperait la gorge. Les populations armées jusqu'aux dents s'affrontaient entre Turcs et Kurdes ou entre sunnites et chiites. L'atmosphère était pesante, menaçante. Au matin, je repartais un peu plus inquiet que la veille tant les dangers qu'on me promettait finissaient par ébranler ma belle assurance.

Ce jour-là, je reçus pour la première fois un

accueil mitigé. Je ne sais par quelle démarche aberrante les villageois, éberlués en apprenant que je parcourais la route de la Soie, s'étaient convaincus que je me payais leur tête et que j'étais en réalité à la recherche du «trésor de la route de la Soie». Ils voulaient absolument se procurer ma carte, persuadés qu'elle indiquait l'emplacement du magot. J'avais bien entendu refusé de leur faire cadeau d'un instrument qui m'était indispensable pour me guider. Mais ce refus avait conforté leur certitude. Il y avait un filon à leur porte et je voulais le garder pour moi. À la nuit tombée, j'ai fini par les convaincre de me laisser me reposer dans la petite maison commune où ils m'avaient accueilli.

Une fois le dernier sorti, j'ai précautionneusement barricadé ma porte avec une solide barre de fer. Sans doute ébranlé par l'épisode des voleurs au tracteur, je ne me sentais pas du tout rassuré. Pourtant, épuisé par la marche et les émotions de la journée, je me suis vite endormi sur un bat-flanc, nu comme un ver à cause de la chaleur.

Vers minuit, je suis réveillé par un grand vacarme. Inquiet, je découvre, sans allumer la lumière, à travers une petite lucarne, tout le village en effervescence. Devant ma porte quelques individus se concertent. L'un d'entre eux tient comme un cierge un vieux fusil, une sorte de tromblon. Je les imagine déjà enfonçant la porte et me tuant pour s'emparer de la prétendue «carte du trésor». Les jambes coupées, je me rassieds sur le bat-flanc. Ainsi, c'est la fin du voyage. Ces ignorants vont me tuer pour rien. Absurde et dramatique, je vais mourir bêtement, victime de l'ignorance et de la convoitise aveugle de ces hommes rendus fous par l'odeur d'un or inexistant.

Au cours de ma vie, j'ai échappé à un ou deux accidents de voiture et failli me noyer en faisant de la pêche sous-marine. Une opération critique m'a laissé dans le coma pendant cinq jours. Mais jamais je ne m'étais trouvé aussi calmement confronté à la fin de mon existence. J'avais tenté le sort et le sort me disait : «C'est l'heure.» Que faire? Pleurer, implorer, me laisser aller au désespoir? J'ai souvent repensé à ces minutes effarantes. J'ai respiré un grand coup et me suis dit : je ne peux pas mourir à poil. À tâtons, dans le noir, j'ai enfilé mes vêtements et ma dignité, négligeant néanmoins mes chaussures. Je pouvais mourir en chaussettes. Et j'ai attendu qu'ils enfoncent la porte.

Dehors, le vacarme enflait de plus belle, mais rien ne se passait. Fatigué, je me suis posé sur un coude, puis allongé. J'étais certain qu'on allait me tuer et pourtant je me suis rendormi. C'est sans doute ce fait qui m'étonne le plus avec le recul. Je me suis laissé simplement glisser dans le sommeil comme n'importe quel soir après une journée de labeur. Je n'étais pas un héros face au peloton d'exécution criant «vive quelque chose» en attendant l'impact des balles. Nul courage là-dedans. Simplement l'accueil simple et calme du signal de la fin de ma vie. J'acceptais ma mort sans chichis.

Il était une heure du matin passée lorsque de grands coups frappés à la porte me réveillèrent. Par la petite lucarne, j'aperçus un soldat, casque lourd et gilet pare-balles, arborant une mitraillette menaçante : les paysans avaient fait appel à l'armée. J'ai été tout de suite rassuré. Les *gendarmas*, unités militaires d'élite spécialisées dans la lutte anti-Kurdes, étaient brutaux, mais cette force, contrairement à celle des villageois, était contrôlée. Si j'osais, je dirais civilisée. À l'instant où je retirais la barre qui bloquait la porte et où deux gradés, appuyés par plusieurs soldats, la mitraillette pointée vers moi, pénétraient en force dans la petite maison, je me suis dit que finalement j'allais peut-être et même sûrement mourir un jour, mais pas tout de suite.

Ainsi, ce voyage m'enseignait que j'étais prêt pour le grand saut, même si ce n'était que partie remise. J'aurais pu céder à une peur irraisonnée. Non, j'avais simplement enfilé une chemise, un caleçon, mon pantalon et mes chaussettes. La leçon à elle seule valait le déplacement. Par la suite, j'appris que les vieux du village, obsédés par la guerre contre les Kurdes et intrigués par mon curieux sac à dos (ils n'en avaient jamais vu) avaient, à tout hasard, appelé les gendarmes, de peur de laisser filer un « terroriste ». Ceux-ci leur avaient demandé de me surveiller jusqu'à leur arrivée. Si j'avais essayé de partir, j'aurais probablement reçu un coup de fusil.

Quelques semaines plus tard, terrassé par une maladie violente, j'étais rapatrié d'urgence en France à demi conscient. Et pourtant, huit mois après je repartais, reprenant mon chemin à l'endroit exact où je m'étais évanoui. J'avais apprivoisé la mort. J'ai pu le vérifier par la suite à deux ou trois reprises lorsque le danger m'a frôlé de nouveau et qu'une chance insolente m'a permis de terminer mon parcours. La camarde ne me faisait plus peur et je lui riais au trou qu'elle a, en place de nez, au milieu de sa figure d'os.

Si, de cette grande aventure, je devais ne retirer qu'une conclusion, ce n'est pas sur la mort qu'elle porterait mais sur la vie. D'où me venait cette énergie dont je ne me serais jamais cru dépositaire? Qu'est-ce qui faisait que j'étais d'un seul coup fort, optimiste, volontaire, alors que, quelques mois plus tôt, je me sentais fini? La réponse est double. D'une part, mon aventure solitaire me rendait à moi-même. Je n'étais plus sollicité, préoccupé par les catastrophes de toutes sortes ou la panne du téléviseur. Je m'étais délivré, lavé, rincé des choses et des affaires du monde. L'autre explication à ce bonheur, la marche en était la cause. Comme je l'avais pressenti et ressenti sur la route de Compostelle, l'action quotidienne et l'effort – parfois douloureux – ne m'abattaient pas, bien au contraire. Je constatais non sans surprise que, dans ces conditions, mon réservoir d'énergie, inépuisable, se reconstituait presque instantanément. Plus j'en dépensais, plus ma réserve augmentait. Mes muscles, sollicités à la limite du raisonnable, jouissaient de donner toute la force dont ils étaient capables tout en se fortifiant un peu plus au fil des kilomètres. Mon sang, fouetté par les endorphines, transmettait du plaisir à mon cerveau. J'allais sur les chemins, chantant ma joie sous forme de dizaines de chansons dont certaines – un couplet, un refrain, une strophe – apprises depuis l'enfance me revenaient en mémoire. «Gare au gorille, ille, ieu», «Est-ce ainsi que les hommes vivent», «Les hommes y-z-aiment, les femmes à hommes...», «À la claire fontaine...», «Mironton, mironton, mirontaine...»

Je suis sans doute un peu trop timide. L'ambition ne m'a jamais titillé. Je pense que cela vient de mon enfance pauvre. Lorsque j'ai fréquenté le collège et les fils de bourgeois ou de commerçants aisés qui constituaient alors les gros bataillons entre la sixième et la troisième, je me suis convaincu que, parce qu'ils étaient d'un milieu aisé, bien habillés, bien éduqués, et qu'ils pouvaient prendre une douche tous les jours, ils étaient meilleurs, plus forts, plus intelligents et cultivés que moi. Ce sentiment d'infériorité ne m'a jamais quitté tout au long de ma vie adulte. Je ne m'en plains pas. Il m'a permis de tracer ma propre voie, d'échapper aux modes. Après la mort de Danièle, j'ai préféré la fréquentation des femmes. Sans doute, amené par obligation à prendre soin du ménage et des enfants, à m'engager dans des activités réputées féminines comme les courses, le repassage ou la cuisine, je me suis aperçu qu'elles étaient moins superficielles, plus vraies que la plupart des hommes que je connaissais. Mais sur la route de la Soie, ma modestie a été mise à mal. Dans les villages ou les villes, les personnes que je croisais n'en croyaient pas leurs oreilles quand je leur disais que je venais de couvrir mille ou deux mille kilomètres à pied et qu'il m'en restait à peu près autant à parcourir avant de rentrer, pour quelques mois, à la maison.

Assez bizarrement, à l'exception d'un imam un tantinet xénophobe qui jugea très mal qu'on me prenne pour un demi-dieu – ce qui à ces yeux me posait en concurrent du sien –, je n'ai jamais, ni dans les regards ni dans les mots, perçu le moindre doute sur ma performance. Auraient-ils douté, pensé que j'utilisais des moyens de transport, je leur aurais expliqué qu'en véritable intégriste de la marche je ne pouvais supporter qu'on me vole un mètre de «ma» route de la Soie. Forcé par moments de monter dans un camion par mesure de sécurité, il m'arrivait de rebrousser chemin pour reprendre ma marche le lendemain matin, à l'endroit exact où j'avais dû emprunter la veille le puant véhicule. Ces petites préoccupations font ricaner quelques esprits forts. Je n'en ai cure. Les kilomètres parcourus chaque jour, ces rencontres, ces paysages de rêve, c'était le magot de ma vieillesse que, tel Harpagon, je serrais précieusement dans la cassette de mes souvenirs. Bizarre, de la part d'un homme qui n'a jamais vraiment réussi à s'intéresser à son compte en banque.

VI

Quelques valeurs oubliées

Sur la route de la Soie, mes muscles n'étaient pas seuls en liesse. Mes neurones chantaient. Je n'avais jamais été aussi curieux d'emmagasiner des connaissances, de m'informer, de questionner, de lire, de visiter, d'apprendre encore et encore. Je retrouvais les bonheurs de l'écolier un peu dissipé certes, mais si heureux de s'instruire.

La leçon de vie que me donnait la route m'amenait peu à peu à réviser quelques valeurs sur lesquelles je ne m'étais jamais appesanti et que je n'avais jamais remises en question, tant elles me paraissaient évidentes, fortes et définitives. La première est l'hospitalité. Elle a, chez nous, un parfum de bon vieux temps, bien rangée dans le placard de l'oubli, à côté de la langue d'oïl et de la lampe à huile. Les voyageurs d'aujourd'hui – il y a des exceptions, comme dans certains gîtes sur le chemin de Compostelle – ne connaissent que l'hospitalité tarifée d'hôtels plus ou moins étoilés et d'autant plus anonymes, sans odeur et sans saveur, qu'ils offrent un confort normalisé et international, bref, occidental. Difficile dans ces conditions de se mêler aux autochtones. Certains voyageurs n'y tiennent pas, d'ailleurs. On m'a rapporté le cri désespéré d'une touriste dans un pays particulièrement dés-hérité : «On vient voir les pauvres, mais ce n'est pas pour vivre comme eux», s'était exclamée la bonne âme. On venait de lui annoncer qu'à la suite d'une panne dans l'équipement de l'hôtel il n'y aurait pas d'eau chaude le lendemain matin. Nul doute qu'elle a fait une réclamation au voyagiste et exigé une compensation pour ce crime de lèse-confort.

Dans les villages ou les villes d'Europe, on n'ouvre plus sa porte, on la «sécurise». La peur du voleur prime sur l'accueil de l'ami. Récemment encore, les religieux et les militaires jouissaient du privilège d'être accueillis de bon ou de mauvais gré. Les premiers parce qu'on pouvait y gagner quelques années de purgatoire, les seconds parce qu'ils ne demandaient pas mais exigeaient le couvert et le gîte.

Sur les chemins que j'emprunte, Ulysse, Ibn Battuta et Marco Polo ont, grâce à cette notion désuète, longtemps parcouru le monde. Le prix qu'ils payaient était un sourire à leur hôte que celui-ci leur rendait au centuple. Le jeune Vénitien cite même une ville du Sinkiang où l'hôte laissait sa maison et... sa femme au voyageur aussi longtemps qu'il lui plaisait. En Orient, j'ai découvert l'importance non pas de la porte qu'on ouvre – certaines sont simplement en toile – mais du seuil. Symboliquement, il marque la frontière entre l'étranger et la demeure. En signe de respect, avant de pénétrer dans la *domus*, on enlève ses chaussures. Ce qui n'était pas un mince travail pour moi, à qui le délaçage des godillots prenait chaque fois un temps durant lequel mon hôte, embarrassé, patientait. En Asie, les chaussures, le plus souvent des savates ou des tongs, sont conçues pour être jetées au passage, en un instant, avant de franchir la porte de l'ami ou de la mosquée. Cette symbolique me frappa tant que, lorsque je fonderai une association destinée à aider des jeunes en difficulté, ces jeunes marginaux qui piétinent à la porte de la société, je lui donnerai ce beau nom de « Seuil ».

Je m'explique l'extraordinaire sens de l'hospitalité des musulmans par le passé nomade des fondateurs de l'islam. Cette qualité ne se retrouve pas chez les sédentaires et j'en ferai les frais pendant le parcours chinois. Dans l'empire du Milieu, à une exception près, on m'a toujours laissé dehors ou fait payer dedans. Chez les musulmans, cette tradition a été entretenue pendant des siècles par la nécessité d'accueillir les pèlerins qui se rendaient à pied ou à cheval à La Mecque. Cela est resté. J'ai presque chaque jour été prié humblement par de parfaits inconnus d'accepter l'offrande de leur table et de leur lit. La sédentarisation des populations et l'utilisation des moyens de transport modernes feront sans doute que, dans un avenir pas très lointain, cette pratique encore courante en Asie centrale sera elle aussi rangée au magasin des souvenirs. Comme j'ai d'ailleurs pu le constater lors d'un récent voyage, les anciens caravansérails encore debout sont désormais transformés en hôtels 4 ou 5 étoiles. Pourtant, à l'origine, on y trouvait refuge pendant les trois premiers jours sans bourse délier.

À l'âge de 20 ans, au cours d'un voyage en Espagne, je fus accueilli par la famille d'un camarade dans une petite ville d'Andalousie. Le commerçant auquel j'achetais une brosse à dents refusa que je le paie. Je ne parlais alors pas assez bien le castillan pour demander une explication ou comprendre sa réponse. Je m'étonnais de ce geste auprès de mon ami. Il m'expliqua qu'après mon départ mon hôte, son père, ferait le tour des commerçants pour payer les achats que j'avais faits. Inutile de dire qu'à partir de cette minute je m'étais abstenu de toute dépense. En Albanie, l'hospitalité [1] était accordée dès qu'un inconnu se présentait dans la cour et que le maître de maison lui avait retiré son arme. Dans certaines familles très pauvres qui m'ouvraient leur porte sans barguigner, il m'est arrivé de prétendre que je n'avais pas faim même si mon estomac criait famine. Car le dîner venu, mon assiette débordait de victuailles contrairement à celles de mes hôtes et de leurs enfants, quasi vides.

L'hospitalité n'est pas la seule valeur que le voyage m'a obligé à réévaluer. En partant, je ne connaissais pas le prix de l'eau, sinon sous forme d'une facture envoyée chaque année par une grande entreprise dont l'indice boursier faisait des envieux. En Asie, l'eau c'est la vie. Rien de mieux qu'une marche dans le désert pour comprendre son importance. Toute source fait miraculeusement surgir des arbres alors qu'aux alentours règne une mort sèche. L'approche, à pied, d'une oasis est un moment particulièrement émouvant que je dégustais à petits pas, marchant lentement

---

1. Une lectrice m'a offert un livre fabuleux, écrit par un collectif, que je recommande aux personnes qui s'intéressent à ces questions : *Le Livre de l'hospitalité*, sous la direction d'Alain Montandon, aux éditions Bayard, 2004. Il compte 2 000 pages passionnantes sur une pratique qui, hélas, se meurt.

vers la vie verte qui jaillissait là-bas, au bout de ma ligne d'horizon ocre.

Ces pensées qui m'avaient rarement effleuré bouleversaient ma vision des choses. Ces hommes en haillons, bras ouverts et capables de se battre contre une nature hostile ou des régimes tyranniques, m'obligeaient à remettre en cause mon regard sur la société dans laquelle je vivais depuis l'enfance, jugeant normal d'être né ici et maintenant, dans un pays tempéré, riche et démocratique. Ces populations dans la misère nous envient notre richesse mais ignorent que si nous avons largement éradiqué la pauvreté, nous connaissons plus que jamais des peurs qui leur sont étrangères : peur du chômage, de la mort, des voleurs, des gendarmes, du voisin, du percepteur, du krach boursier, de l'accident de voiture, de ne pas avoir une place en crèche... Si le maître mot de leurs hommes politiques est la promesse d'atteindre le niveau de vie des Occidentaux, celui de nos élus est celle de nous donner toujours plus de sécurité. Nous sommes, au sens littéral du mot, des conservateurs, des êtres en quête de la certitude que nos richesses, nos avantages, nos acquis nous seront conservés, voire augmentés. Cela sans trop se soucier de ceux que nous laissons au bord du chemin.

Je n'ai jamais osé dire à ces personnes démunies

du minimum que moi, le nanti, j'étais assuré mille fois pour ma maison, ma voiture, ma vieillesse et même ma vie. Et si un pot de fleurs tombait de mon balcon sur la tête d'un quidam, on paierait à ma place pour l'inhumation du malchanceux, et pour peu que j'insiste, on me rembourserait peut-être le pot et la fleur. Sur cette route dont on me rabâchait les dangers, je me sentais plus rassuré que dans la bonne ville sécurisée de Paris où l'on ne va pas loin sans apercevoir la casquette d'un policier. Cette certitude, encore une fois malgré des dangers réels, reposait semble-t-il sur ce concentré d'humanité que je rencontrais dans chaque village. Plongé dans cette humanité, je retrouvais la mienne. Certes, je suis un mortel, condamné à mourir. Mais ici ou là, quelle importance? Une de mes sœurs à qui j'avais affirmé avant mon départ que je ne prendrai aucun risque, m'a pris pour un sacré menteur à la lecture du récit de ma première année de marche. Je ne mentais pas. J'avais simplement intégré l'idée qu'il vaut mieux vivre dangereusement que de vivoter sur un fauteuil.

Ma route de la Soie était une route de vie, d'une nouvelle vie. Je déchirais le décor. Je me dépouillais à chaque pas de mes illusions, de mes propres mensonges. À tous ceux qui me demandaient, incrédules, pourquoi je partais si loin, si lentement, en mettant ma vie en danger, que pouvais-je répondre ? Je n'en savais, à vrai dire, rien du tout, sinon le besoin irrépressible d'y aller. Et parce qu'il fallait bien fournir une explication, je prétendais en manière de plaisanterie que j'allais chercher la sagesse orientale. Comme la recherchaient les ermites qui, aux origines du christianisme, se réfugiaient dans une forêt profonde, sous une hutte de branchage ou une grotte disputée aux animaux. C'était un faux calcul. À peine installé dans sa retraite au milieu de nulle part, sanctifié par la solitude, le malheureux saint homme voyait s'allonger devant son humble hutte des files de pécheurs qui venaient lui demander la recette du bonheur sur terre ou une assurance pour le ciel.

Comme toute existence, la mienne comportait des hauts et des bas. La loi des cavaliers veut que si l'on tombe de cheval, il faut remonter immédiatement, sinon la peur s'installe. Au moment de repartir en mai 2000, après l'arrêt brutal, la maladie et la souffrance de la première étape et alors que la neige achevait de fondre sur le plateau anatolien, je ne dis pas que je n'ai pas tremblé. Mes tripes, si je leur avais demandé leur avis, auraient crié grâce. Je ne les ai pas écoutées, pas plus que ceux qui me criaient : «casse-cou». En fait, j'avais une croyance irraisonnée en ma bonne étoile.

Certes, je n'étais toujours pas sûr de parvenir jusqu'à la mythique tour de la Cloche qui, exactement au cœur de Xi'an, sonne les heures dans l'antique capitale impériale chinoise. Mais je m'étais convaincu, en dépit des craintes accumulées, que je m'en sortirais toujours plus ou moins bien. Il est difficile, pour une personne qui n'a pas marché au long cours, de comprendre cet état d'esprit. En effet, la marche à haute dose provoque et amplifie cette confiance en soi. Les fesses, sur lesquelles reposent nos corps et notre civilisation occidentale, sont largement sollicitées dans la vie quotidienne pour qui recherche une situation bien assise. Dans la marche, en revanche, c'est le cerveau qui mène le bal. Quand, dans un espace infini, rien n'accroche le regard, quand pas un arbre ne se dessine à l'horizon, quand pas un oiseau ne vole dans le ciel, les pensées affluent. Et, dans le Gobi ou le Taklamakan, je ne me suis pas rediffusé le film de ma vie passée mais j'ai imaginé, construit cette période qu'il me restait à vivre. Avant même d'effectuer mon deuxième voyage sur la route de la Soie, j'avais déposé les statuts de l'association Seuil et commencé à recueillir informations et bonnes volontés. Il s'agissait d'entamer ce long travail inconnu qui m'attendait au retour : aider des jeunes en difficulté. L'idée me tarabustait mais comment

la mettre en œuvre? Avec qui et par quels moyens?
Il me faudrait y réfléchir plus avant, inventer des
solutions, apprendre...

Les gens qui apprennent tout seuls – comme je
l'ai fait toute ma vie – sont toujours persuadés qu'ils
ont un train de retard, qu'ils doivent mettre les
bouchées doubles pour rattraper les diplômés,
les savants. Alors, j'observe, je me documente, je
potasse, je m'instruis de tout sur tout. Là encore,
le handicap des autodidactes est qu'ils peuvent difficilement s'intégrer dans des ensembles construits,
fermés, réservés à ceux qui sortent du même
moule. Leur privilège est de n'être prisonniers de
nul système, ce qui les rend plus inventifs, aptes à
défricher des terrains qu'on pensait archiconnus ou
à trouver des pierres de lune dans le désert. Mais
que de travail... Nul n'est plus lent que moi car ma
curiosité n'a pas de limites. La lecture d'un journal
me prend des heures car je lis tout, de la une à la
dernière page, tout juste si je parviens à sauter les
définitions des mots croisés.

Mon besoin de connaissance, sur la route de la
Soie, trouve largement à s'employer. Tout d'abord,
il me faut parler avec les inconnus de rencontre.
Les cours de langue me replongent avec délices
dans le temps béni où je n'avais que cela à faire :
emplir mon cerveau jusqu'à le faire déborder des

mystères et des beautés du monde. Je me familiarise aussi avec les monnaies, les coutumes et les arts de ces pays et j'apprends à lire les cartes. Celles qui sont rédigées en farsi ou en idéogrammes chinois me donnent un peu de fil à retordre. Je m'en sors en demandant à une personne bilingue croisée en chemin de m'inscrire en anglais les noms des villes que j'ai du mal à décrypter. Après m'être perdu mille fois parce que les cartes que je trouve sont peu fiables ou que les autochtones ne connaissent pas leur géographie, même proche, j'ai opté dès la deuxième année pour un petit GPS. Cet instrument merveilleux, d'une précision diabolique (à 20 mètres près, je sais où je me trouve) me permet de travailler avec des cartes aériennes très précises sur les parallèles et les méridiens et de me fabriquer des documents sur mesure, en grappillant des informations ici et là. Je prépare et ensuite je vais sans guide, sans professeur si ce n'est pour les langues. Je m'instruis tout seul, je m'invente des solutions dont certaines ne fonctionnent guère. Mes erreurs m'enrichissent. Peu à peu, je deviens un routard expérimenté.

Je constate surtout une évidence : la marche, je ne le répéterai jamais assez, n'est pas un exercice physique mais spirituel. Lorsque chaque muscle nécessaire à la progression s'est nourri, affermi, assoupli, que le corps s'est reconstruit par la déambulation, il se meut sans effort et remplit en douceur la fonction que la nature lui a attribuée. Il n'y a aucun mérite à marcher et je m'étonne de l'étonnement que je provoque. Marcher 20, 30, 40 kilomètres par jour est à la portée de tous, pour peu qu'une pratique quotidienne, un entraînement régulier y prépare. On me prête des vertus particulières. Mais c'est l'histoire de l'œuf et de la poule. Je ne suis pas un superman. Est-ce parce que je suis en bonne santé que je couvre des distances inhabituelles? Ou est-ce la marche au long cours qui me donne une forme et une énergie exceptionnelles? Tandis que je progresse sur la route de la Soie, je ne me pose pas la question. Je marche, et voilà tout. Pourtant, il y a un truc.

En effet, ce ne sont pas mes muscles seuls qui me font chaque jour me rapprocher de la tour de la Cloche de Xi'an. C'est mon esprit qui me porte littéralement. C'est lui qui, malgré les peurs, les bobos, la turista, les pieds et les hanches qui saignent, les agressions de toutes sortes, me fait avancer contre le vent, sous un soleil meurtrier. Ma vertu n'est pas dans je ne sais quelle facilité à la marche, mais dans mon obstination. Le secret de la poursuite de l'objectif que je me suis fixé ne réside pas dans des muscles de fer mais dans mon entêtement, mon obstination bornée à avancer coûte que coûte.

Mon cerveau, stimulé, fouetté par un corps qui l'irrigue d'un sang rouge et puissant grâce à la marche, se secoue de la routine professionnelle qui l'avait endormi durant mes dernières années de travail. Voici qu'à 60 ans il se réveille, se muscle lui aussi, s'aventure sur des chemins inconnus et y prend plaisir. Le merveilleux équilibre que je ressens, dû à l'exercice quotidien, induit le même équilibre intellectuel. Je me débarrasse des scories qu'une société trop protectrice avait déposées dans ma cervelle. Me voici neuf, moi qui me pensais fichu, « à la casse ». J'ai retrouvé « un esprit sain dans un corps sain », comme le dit la sagesse antique. Dès lors, je suis prêt à tout ingérer, à tout apprécier, à jouir de chaque détour du chemin, de la noblesse paysanne. Les fleurs, les collines et les filles m'apparaissent plus belles. Alors que, durant quatre ans, j'ai usé une paire de godillots par an, je me félicite d'avoir économisé mon fauteuil à bascule qui ne se balance que lorsque des amis viennent s'y bercer tout en bavardant.

Sur la route de la Soie, mon cœur a recommencé à battre au rythme de mes pas, puis de plus en plus vite. Je me suis tracé une voie. J'ai embrassé le monde. Il m'a beaucoup apporté, moi qui arrivais les mains vides. Des amis, d'abord, par centaines, tout au long de ce long chemin. Une découverte étonnante. Dans notre Occident libéral, l'amitié est une chose plus rare que l'or. Pour tisser des liens amicaux, il faut du temps, une ouverture d'esprit et une absence totale de calcul. Toutes choses rarissimes tant les heures nous talonnent. Sur la route, tout est neuf, rien ne presse. L'hôte ne te demande rien avant de t'ouvrir sa porte et de te sourire, de ses yeux plus ou moins bridés. Il n'ouvre pas que l'huis, mais aussi son cœur et son garde-manger. Sa question la plus indiscrète tient en trois mots : «Tu viens d'où?» L'hospitalité n'a que faire des montres. La prière qu'il t'adresse humblement est de ne pas le priver de ta présence, de rester un peu plus longtemps, un jour, une semaine... Il ne sait pas, l'ingénu, à quel point cette demande est incongrue. Il ignore, pauvre simplet, que le temps c'est de l'argent et que l'argent prime sur tout. Lui qui ne fait commerce que de fraternité et d'amitié ne sait pas que ces valeurs n'ont plus cours chez nous, qui sommes si réalistes et connaissons si bien le prix des choses.

Cette aventure solitaire me comble. Mais elle serait restée anecdotique si elle n'avait débouché sur une aventure littéraire qui, à ma grande surprise, l'a magnifiée.

VII

Raconter et partager

Après mon entrevue avec l'éditeur, et la commande de quatre livres pour relater une marche dont je n'avais pas encore fait le premier pas, j'ai pris peur. Mon aventure elle-même était risquée. En ajouter une autre, littéraire celle-là, compliquait le jeu. Et puis, à 60 ans, étais-je capable d'écrire un livre? Dans ma carrière, j'ai rédigé des milliers d'articles, mis bout à bout des millions de mots. Des papiers courts la plupart du temps. J'ai surtout travaillé dans le quotidien, l'immédiat et plus rarement mené des enquêtes approfondies. J'ai aussi réalisé des documentaires, et découvert les particularités de l'écriture audiovisuelle, synthétique et plus «parlée» que véritablement écrite.

Dans la dernière période de mon activité professionnelle, touche-à-tout que je suis, je me suis risqué à écrire plusieurs scénarios. Chance inouïe, le premier fut acheté, tourné et diffusé par TF1 et par de nombreuses télévisions dans le monde. Mais la méthode de travail pratiquée par les responsables de la fiction contribua à me dégoûter pour longtemps de la fréquentation des gens d'images. La recherche prioritaire d'audience et le souci qu'elle induit de caresser le téléspectateur dans ses penchants les plus consommateurs et le peu de respect pour son intelligence conduisirent les responsables à vider par petites touches mon histoire de son contenu. *Bébé cloche* racontait l'aventure d'un clochard qui, trouvant un enfant abandonné, était amené un peu contre son gré à l'adopter, et découvrait à la fois l'amour filial et l'estime de soi puis, pour la romance, l'amour tout court. À un âge avancé, se reconstruisant grâce à ce nouveau-né, il reprenait tardivement mais courageusement l'apprentissage du métier d'homme. Le scénario, m'expliquèrent «les gens qui savent», avait un défaut majeur : «le» spectateur – à croire qu'il n'y en a qu'un – ne pouvait s'identifier au héros qui était, au départ, un alcoolique puant de crasse. Je tentais de louvoyer, de garder cette image de résurrection d'un être que la vie était presque parvenue à abattre. Je refusais d'aller plus loin. On garda la trame de l'histoire, mais le héros devint, par la magie d'un *script doctor* – un docteur en scénarios, autrement dit une autre personne «qui savait», un spécialiste, un expert –, un jeune cadre de banque plutôt bien de sa personne et *Bébé cloche* fut rebaptisé *Bébé coup de foudre*.

Mon mauvais caractère fit qu'on ne m'invita même pas au montage du téléfilm tourné, pour des raisons d'économie, en Pologne. Le calcul des «gens qui savent» était bon. L'audience fut l'une des meilleures, toutes chaînes confondues, de l'année 1997. J'enfermai désormais mes autres scénarios dans le fond d'un tiroir d'où ils n'ont pas bougé depuis lors. En même temps, je fis une constatation qui ne m'avait pas frappé auparavant : sur les affiches de cinéma, le nom de l'auteur, pourtant à l'origine de l'histoire, est inscrit – lorsqu'il l'est – en tout petit, tout en bas, noyé sous les gros caractères de ceux des acteurs et du réalisateur. Mon rôle d'apporteur d'idées qu'on dépouille de son bien pour faire de l'argent n'était pas une exception, mais la règle. Pour une fois, j'étais comme tout le monde.

Mais le prurit de l'écriture me démangeait. J'étais scandalisé qu'on ait ainsi jeté mon clochard aux oubliettes. Avant d'écrire ce scénario, j'avais longuement mené une enquête personnelle sur les SDF de tous âges et sexes qui hantent les couloirs et les rames du métro. Ce n'est pas un hasard. On m'expliqua que le métro était la dernière marche de la dégringolade sociale de ces pauvres hères. Agressés par la vie, détruits par l'alcool la plupart du temps, ils parcourent les wagons pour mendier. Au bout du rouleau, brisés, abandonnés de tous ou cachant leur honte et leur déchéance, ils trouvent dans le métropolitain un véritable «ventre», un havre accueillant. Sous la terre, il ne fait ni jour ni nuit, c'est chaud en hiver, frais en été, la pluie y est inconnue et le vent se réduit à quelques courants d'air. Surtout, paradoxalement, ils y trouvent l'anonymat, noyés qu'ils sont dans la foule aveugle et pressée qui se hâte vers le travail ou la maison. Plongés dans leur lecture, leur conversation, leurs pensées ou leurs rêves, les voyageurs ne voient plus ces mains tendues, ces barbes sales, ces vêtements fripés. Pourtant, avant de se prendre les pieds dans le grand tapis social, ces êtres devaient bien avoir eu des parents, une enfance, des amours, du bonheur, une femme et des enfants peut-être, un métier, sûrement...

Je pensais souvent à ces vies broyées. L'écriture de *Bébé cloche* avait été inspirée par cette certitude que, jamais, personne n'est perdu. Quel drame les avait amenés sous les faïences du métropolitain, dans ce désert affectif? Je ne suis pas très tendre avec la société américaine, pourtant j'admire sa capacité, si bien décrite par Tocqueville, à offrir une deuxième chance à ceux que le malheur ou la malchance a frappés. J'y pensais tant à ces malheureux que, pour me consoler du naufrage de *Bébé cloche*, je me mis à l'écriture de nouvelles. Afin de corser l'affaire, je m'imposai une double contrainte : toutes devaient parler de clochards et se dérouler dans le métro. Mon but était simple : essayer de démontrer, par l'imagination et la fiction, que, dans tout naufrage, il y a eu une vie «avant», comme la mienne, comme la vôtre. Avec cette différence : aucune main ne s'était tendue pour les relever.

Durant deux années, j'ai laissé mon imagination vagabonder. Une vague idée naissait, je la cajolais, la caressais et, lorsqu'elle semblait mûre, je m'asseyais devant mon ordinateur et lui donnais vie. J'ai pris un plaisir infini à l'écriture de ces récits que j'intitulai *Nouvelles d'en bas*. J'avais beaucoup lu ces fabuleux écrivains américains qui, sans fard, décrivent les bas-fonds de leur société de consommation, éclairant d'une plume lumineuse les plaies de l'Occident libéral qui, selon l'adage, voudrait que le bonheur soit forcément placé sous le signe de la liberté, mais d'une liberté particulière, celle d'«un renard libre dans un poulailler libre». Les poètes et les écrivains se doivent d'éclairer les mauvais côtés d'un monde, volontairement cachés et laissés dans l'ombre par les politiques, de mettre à nu les abcès purulents et douloureux qu'on voudrait ignorer.

Les quatre ouvrages que me proposaient les éditeurs de Phébus étaient d'un autre calibre. Chose amusante, ils me demandèrent – histoire de vérifier que je savais écrire – de leur envoyer quelques articles ou reportages que j'avais rédigés. J'en fus bien incapable. Étant totalement dénué de vanité d'auteur, l'idée ne m'était jamais venue de conserver mes écrits. Je n'ai gardé qu'un seul article : la première page du dernier numéro de *Combat* dont j'étais éditorialiste et chef du service politique.

Au retour de mon premier voyage, un autre problème se posa à moi lorsque je m'assis à une table pour commencer mon livre. Avec sans doute une pudeur excessive penseront certains, je n'avais utilisé au cours de ma vie professionnelle qu'une seule fois le pronom personnel «je»: pour raconter «mon» marathon de Paris dans *Le Matin de Paris* où je travaillais alors. Dans ma pratique, le journaliste est témoin, il n'est pas dans le tableau. Je privilégiais le «nous» quand je ne voulais pas rester dans un froid récit de greffier. J'ai toujours travaillé derrière le stylo, le micro ou la caméra. Si je signais un article, c'est parce que j'avais mis en cause une personne, une institution ou une personnalité et j'estimais qu'elles devaient savoir de qui venait la critique. Pour le reste, je pratiquais une certaine discrétion, refusant de participer à la course à la popularité, qui donne lieu à tant de luttes fratricides dans les milieux de l'information, en particulier à la télévision. J'ai même refusé de donner suite à une émission que j'avais proposée et qui aurait été acceptée à la condition que j'en sois le présentateur.

Cet état d'esprit se révéla difficile à concilier avec l'écriture d'un récit de voyage. Pendant une quinzaine de jours, j'ai tourné autour de la feuille blanche sans trouver de solution. C'était stupide et mensonger de relater un voyage solitaire avec des «on», des «il» ou des «nous». Je me suis donc résolu à le faire à la première personne. Une autre question se cachait derrière la première : fallait-il tout dire ? S'attaquer à un récit de voyage, c'est bien sûr montrer les paysages, les monuments, raconter l'Histoire et les histoires écrites sur les murs et les visages. Toutefois, l'aventure a aussi ses mauvais côtés. Se faire voler, tomber malade ou se ridiculiser n'est guère glorieux. En quoi les pensées qui me sont venues en marchant intéressent-elles le lecteur ? D'ailleurs, ce lecteur, qui est-il ? Si c'est un inconnu, soit, l'anonymat me protège un peu. Et mes amis, s'ils se risquent à lire ma prose ? Dois-je leur révéler, à eux comme à mes parents plus ou moins proches, mes pensées et certains événements qui relèvent, après tout, de mon intimité? La peur d'être jugé avait été, avant même d'écrire mon premier scénario, le principal frein à mon besoin de m'exprimer. Je craignais que mon entourage ne vît, dans les situations parfois bizarres qui venaient sous ma plume, la révélation de quelques pensées inavouables.

Puisque je tenais le stylo, pour conter ma route de la Soie ne devais-je pas me donner le beau rôle? J'étais un héros, non? Eh bien non, puisque j'avais échoué dans ma tentative de rallier Téhéran dès la première année de marche, m'évanouissant à 35 kilomètres de la frontière. Mon retour peu glorieux sur une civière cadrait mal avec l'image de l'aventurier courageux, fort, indestructible. Il réduisait mon odyssée à un vulgaire fiasco. Fallait-il en parler, accepter de dire que je n'étais pas vraiment un être d'exception? Et, dans ce cas, quel intérêt pour le lecteur auquel je prêtais l'envie de rêver, justement, à un héros? Et puis tout cela valait-il la peine? Si ma deuxième étape que j'avais commencé à préparer était aussi mouvementée que la première, je risquais fort de revenir en pièces détachées. Alors à quoi bon? Tenaillé par toutes ces questions j'ai regardé mon stylo posé sur la table près d'un stock de papier brouillon sans user une seule goutte d'encre pendant deux semaines. Mais je suis un homme de devoir. J'avais signé un contrat pour faire un livre par an, je devais l'honorer.

Je me suis lancé dans l'aventure littéraire pour conter mon aventure pédestre. Dès les premiers mots, le stress s'est dissipé. Quoi dire ? Tout ! Mes bonheurs et mes malheurs, les grands et les petits, l'émotion qui sourd des antiques caravansérails et mes misérables chiasses ou maux de pieds, la finesse des minarets, l'immensité des déserts et la crasse quotidienne, l'épuisement, certains soirs, et la fraternité villageoise. Cette écriture se révéla pourtant douloureuse. Que choisir dans la montagne de notes que j'avais rapportées, quels souvenirs étaient le plus susceptibles d'intéresser mes contemporains ? J'avais la conviction que ce que je racontais était banal, sans relief. Je manquais totalement de confiance en moi. Mon écriture s'en ressentait. J'avais du mal à me concentrer, à me consacrer à la rédaction d'un ouvrage pour évoquer un périple qui était déjà du domaine du passé. Ce qui m'importait, c'était la suite, la prochaine étape qui ne pouvait attendre. Sans l'aide attentive et sourcilleuse de Jane Sctrick, je ne serais sans doute pas allé jusqu'au bout de ce voyage littéraire. Avec une patience infinie, elle m'a porté, tancé pour ma distraction, encouragé, bousculé même lorsque, pressé d'en finir à l'approche du départ, je bâclais un peu la tâche. J'étais nouveau, perdu dans ce monde exigeant. Elle m'a guidé.

La publication du premier tome de *Longue marche* allait changer mon voyage et quelque peu bouleverser ma vie. Ayant raconté mon périple par l'écriture, je me serais contenté de quelques centaines d'exemplaires vendus. Ils auraient flatté mon ego et permis de partager avec ces lecteurs les émotions de ce voyage que je persistais à considérer comme banal. Or, l'accueil qui lui fut réservé fut pour moi plus qu'une surprise, un choc.

Du jour au lendemain, je suis couvert d'éloges, des pages entières dans les journaux nationaux les plus prestigieux content mon odyssée, les radios et les télévisions m'ouvrent leurs antennes. La première critique – elle aurait suffi à mon bonheur – parut dans *L'Événement du jeudi*. Françoise Bascou, libraire à Carpentras, qui m'honorera ensuite de son amitié, écrit une «chandelle» (une demi-colonne de texte, on lui chipote la place) à propos de mon livre dont elle dit le plus grand bien. Pierre Lepape, dans le *Monde des livres,* consacre à l'ouvrage une demi-page dithyrambique que je relis à deux fois pour être sûr qu'il s'agit bien de mon modeste opus. Je suis pris dans un tourbillon qui tout à la fois me réjouit et me perturbe.

J'ai horreur d'être photographié, je ne sais jamais quelle attitude adopter. Mais des photographes viennent me mitrailler jusqu'en Normandie. L'un d'eux me fait rire en me racontant l'anecdote suivante : il vient de prendre place dans un train qui l'emporte vers ma gare, quand il découvre que sa voisine, une jolie brunette, lit précisément mon livre. Il s'en amuse et ne peut s'empêcher de lui dire : «Je vais justement photographier l'auteur.» La pimbêche referme le volume d'un coup sec, se lève et, quittant le compartiment le menton haut, lui jette : «Il y a des manières plus intelligentes de draguer.» Entre la promo du livre et la préparation du prochain voyage, je suis débordé, bousculé même si je m'amuse et dois parfois me pincer pour me convaincre que je suis dans la réalité.

Au même moment, je m'attelle à ce qui va compter tant dans ma vie. Au mois de mai 2000, je dépose à la sous-préfecture de la ville voisine les statuts de l'association Seuil dont je parlerai plus loin. Cette hyperactivité me remplit de bonheur. Qu'elle est loin la «retraite» que j'avais tant redoutée !

Je l'ai dit, en tant que journaliste, j'ai toujours préféré rester le plus neutre possible. Et voici que l'image était inversée. C'était moi qui étais le «sujet». Dans cette période agitée, j'ai pu réaliser à quel point une notoriété pourtant modeste et limitée, peut être, comme l'aurait dit Boris Vian, «bouleversifiante». Du jour au lendemain, le regard qu'on porte sur vous change. Vous n'êtes plus vous-même mais l'image qu'on se fait de vous. Homme discret et effacé autant que faire se pouvait, j'étais noyé dans un bain de louanges. C'est bien moi dont vous parlez? C'est moi le héros? Au lieu de poser des questions, ce qui avait été mon métier, je devais y répondre. On s'exclamait, on me congratulait, on me complimentait comme si j'avais escaladé l'Everest par la face nord. Fort heureusement, mon âge et mon expérience ainsi que ce fond de bon sens paysan hérité de mes parents m'ont protégé en me faisant considérer tout cela avec ironie et distance. Gilbert, un de mes amis, amusé par ma gloire toute neuve me confia, rigolard : «Heureusement que cela ne t'est pas arrivé quand tu avais 30 ans, ta tête aurait enflé si fort que tu serais devenu infréquentable.»

Quand j'ai pris le train pour Venise où je donnai au passage un coup de chapeau à sire Marco Polo dont j'allais suivre la trace, celle du cheval qui l'avait emporté vers la lointaine Cathay, j'étais à mille lieues d'imaginer que j'irais aussi loin que lui. Écrivain tardif, je n'imaginais pas non plus rencontrer un tel succès, ni prévu ni d'ailleurs recherché. Quelle est la part de la presse dans le succès d'un livre ? Les journalistes proposent et les lecteurs décident. Les miens ont non seulement apprécié mon récit mais beaucoup se sont fait les propagandistes de mes ouvrages. Combien m'ont dit qu'on leur avait offert un ou plusieurs tomes : un curé, à Nancy, tout en s'amusant de mon agnosticisme, m'a avoué qu'il avait donné le premier de mes livres à dix-sept personnes ; une libraire belge m'a annoncé par courriel qu'un de ses clients venait d'acheter pour la cinquante-quatrième fois le premier tome, afin de l'offrir et de partager son enthousiasme. Pouvais-je imaginer, lorsque j'ai écrit les premières lignes de *Longue marche* que je deviendrais en quelque sorte un cadeau, et pas seulement à Noël ? Je n'en tire aucune gloriole, seulement du plaisir de donner ainsi du bonheur et de le partager.

Dans mon aventure littéraire, c'est sans doute avec mes lecteurs que j'ai établi une relation aussi chaleureuse et émotionnelle que lors de mes rencontres avec des milliers d'Asiatiques entre Istanbul et Xi'an. Très vite, j'ai reçu des lettres par dizaines, puis par centaines et je renonce aujourd'hui à les compter. Le flot, près de dix ans après la parution du premier tome de *Longue marche*, se ralentit mais ne tarit pas. Si la presse flatte mon ego, les lettres me touchent au plus profond. Ainsi cet homme de 75 ans qui dit être un grand lecteur mais avoue n'avoir jamais pensé écrire à un auteur. Après s'être plongé dans le livre et avoir «marché» à mes côtés pendant trois cents pages, il n'a pu s'empêcher de m'exprimer son bonheur. Ou ce bûcheron de 35 ans qui vient me voir à Toulouse et me remercie : gravement dyslexique, il n'était jamais parvenu jusqu'à la fin d'un ouvrage tant la lecture lui est souffrance. Pour la première fois, dans le plaisir, me dit-il, il est allé jusqu'au bout du premier tome et entame le second. Je l'embrasserais, si j'osais. Jacques Dion, un bénévole qui a enregistré mes textes pour les malvoyants de la bibliothèque de Laval, me raconte qu'une dame aveugle, après avoir écouté le récit, a acheté le livre dans une librairie, pour le toucher, lui donner corps. Je suis ému aux larmes.

Le récit a une vertu que je n'avais pas perçue : il donne de l'énergie aux personnes qui le lisent. Plusieurs correspondants m'ont lu sur un lit d'hôpital où ils déprimaient. Ils ont, me disent-ils, trouvé au fil du récit un tel enthousiasme qu'ils m'attribuent une part de leur guérison. Face à ces mots si amicaux, je ne sais trop quelle contenance adopter. Je ricane, embarrassé par tant de gentillesse et réponds par l'humour : «Oui en effet, je fais des miracles. Comme les rois de jadis, je touche les écrouelles et j'attends ma canonisation.» Mais ces missives charmantes, enjouées, affectueuses et souvent fort bien tournées m'émeuvent plus que je ne saurais dire. Tous et toutes m'affirment que mon récit les a, en quelque sorte, fait voyager avec moi, qu'ils ont eu le sentiment de m'accompagner, pas à pas. J'en suis ravi car c'est exactement ce que j'ai voulu faire.

J'étais parti pour écrire quatre livres. Le premier, en l'an 2000, rencontre le succès. Le second, l'année suivante, plus encore. Je constate, éberlué, que les deux ouvrages se maintiennent pendant quelque temps dans la liste des best-sellers. Pourtant, la presse qui m'avait encensé pour le premier volume est plus discrète pour le second. Et je trouve cela normal. Il faut laisser la place aux nouveaux. Je n'ai pas publié de livre l'année suivante. Jean-Pierre Sicre m'avait dit : «Ne te crois pas tenu de risquer ta peau pour aller jusqu'au bout sous prétexte que nous avons signé un contrat. Tu peux arrêter quand tu veux.»

En 2001, l'association Seuil est devenue la chose la plus importante de ma vie de retraité débordé. Le choix s'est présenté, brutal : écrire le troisième volume ou m'occuper de l'association, car les deux activités se heurtaient trop. J'ai choisi, sans hésiter, de privilégier la seconde et de ne pas publier de récit immédiatement après ma troisième année de marche. Le résultat a été curieux. Mes lecteurs ont commencé à harceler les libraires de questions sur ma santé. J'étais revenu, il est vrai, tellement secoué de ma première marche que leurs craintes avaient quelque fondement. Un jour, chez Phébus, j'entendis la standardiste tenir ce drôle de langage :

– Non, madame, il n'y a pas de suite de *Longue marche* cette année… Oui, l'année prochaine, sans doute… Non, non ! rassurez-vous, il n'est pas mort !

Peu de temps après la sortie du premier livre, de nombreux libraires, des groupes de lecture, des associations, des médiathèques me demandent de venir les voir, d'échanger nos expériences. Je l'ai dit, je suis un homme de devoir et ne saurais me dérober à des personnes qui m'ont fait l'honneur de m'accompagner, pauvre marcheur solitaire, sur cette route si passionnante. J'accepte donc volontiers, quand mon agenda le permet, mais il se noircit très vite. Les réponses au courrier, quelques heures par semaine, mangent le temps qui me reste. J'empile au fur et à mesure ces mots d'amitié dans un grand coffre qui déborde, en attendant de les relire, lorsque je serai vieux et « retraité », pour me donner un peu de plaisir.

Ces courriers abordent rarement l'exploit physique, et j'en suis ravi. Mon récit, perçu comme une sorte de grand reportage, leur a donné l'illusion d'accomplir eux-mêmes ce parcours. Beaucoup me remercient de leur avoir offert «un voyage immobile», une épopée dans un fauteuil, dénuée de risques. Mais tous ont tremblé pour moi. Souci de ne pas me heurter? Excès de retenue? Très peu font allusion à mon âge. Lors des rencontres, les hommes, qui m'écrivent peu, sont nombreux à me congratuler. Contrairement aux femmes, c'est plutôt le côté «exploit» qu'ils retiennent. On m'envoie des petits cadeaux, les plus inattendus : des santons, des statuettes, des dessins... Un jeune homme me remet, lors d'une séance de signature, une aquarelle représentant «Bernard Ollivier quittant un village d'Asie centrale»: des hommes en turban, des femmes enfoulardées aux longues robes font des signes d'adieu à un marcheur qui s'éloigne, sac au dos, vers le désert. L'artiste, modestement, m'a remis son œuvre et il est parti. Je ne sais même pas son nom car il n'a pas signé. Mais je le reverrai à une autre occasion.

Petits groupes ou foule – comme ces quelque cinq cents personnes de l'Université du temps libre à Bordeaux qui me réservent un accueil de prince –, les rencontres m'enchantent. Voici quelques années, avant de partir pour Compostelle, je me considérais comme «liquidé». Et voilà que je donne du plaisir à des milliers de gens et qu'un grand nombre m'en remercie. Je remplis des salles de cinéma dans de petites ou de grandes villes. Serais-je donc encore utile sur cette terre?

Inutile de le préciser, au moment d'aborder l'écriture du deuxième tome, ma plume pesait des tonnes. Et si je les décevais? J'ai une pensée pour ces auteurs qui, couronnés par un prix littéraire prestigieux, sombrent dans l'angoisse à l'instant de récidiver. Mon cas s'avère moins difficile. Le succès du premier tome de *Longue marche* m'a considérablement aidé à repartir pour la deuxième étape près de la frontière turco-iranienne, malgré les misères endurées l'année précédente.

L'accueil réservé à ma prose va même jusqu'à me valoir plusieurs prix littéraires. Le plus touchant est sans doute le prix René Caillié, ce voyageur français qui fut le premier Européen à entrer dans la mythique Tombouctou. Il m'est remis à Mauzé-sur-le-Mignon lors d'une fête organisée par la municipalité et la population de la ville natale de l'explorateur. Le prix Joseph Kessel m'est décerné par le prestigieux jury de la SCAM. Le festival de l'aventure de Dijon couronne mon livre et, honneur suprême, je suis fait «chevalier du taste-vin» avec deux stars, Catherine Deneuve et Jean-Loup Chrétien. La cérémonie se déroule dans les caves immenses du Clos-Vougeot, devant un bon millier de Japonais et d'Américains en habit, aux chants d'une chorale de vignerons rubiconds. Tour à tour touché ou amusé par ces marques d'estime, je me préserve de la «grosse tête» en me réfugiant le plus souvent possible dans mon ermitage normand, où la solitude me ramène à une modestie qui me sied mieux que toutes ces mondanités.

Si je m'efforce d'être fidèle à moi-même, j'ai, à mon corps défendant, changé aux yeux des autres. Quand je viens parler devant une assemblée de lecteurs, celui qu'ils attendent ce n'est pas Bernard Ollivier, le retraité ordinaire que je m'obstine à rester, mais un héros auréolé de son aventure asiatique. Je me protège autant que possible de cette idolâtrie qui me met mal à l'aise en affirmant, sans trop être cru, que toute personne qui a l'usage de ses deux jambes pourrait accomplir ce voyage. Rien à faire. On m'a accroché une couronne qui colle à mon crâne dégarni. Pourtant, je suis d'accord avec la définition de Romain Rolland : «un héros, c'est celui qui fait ce qu'il peut, les autres ne le font pas». Sur ma route, j'ai fait ce que j'ai pu, rien de plus. Je l'ai fait d'abord pour moi, sans calcul et sans rien en attendre. Tant mieux si j'ai pu partager cette expérience. C'est cela, je pense, qui m'a permis de rester moi-même. En revanche, m'enterrer dans une retraite paisible m'aurait changé. Cette image de héros que je m'efforce de combattre sied à ceux qui rêvent de voyages mais savent bien, le plus souvent, qu'ils ne quitteront pas leur horizon et ne partiront jamais. Malgré moi, je contribue à faire émerger des désirs de voyage qui n'avaient pas trouvé à s'exprimer. Et certains n'hésitent pas à m'y associer. Après une rencontre avec des étudiants, une jeune fille ravissante vient me voir et me jette tout de go :

— Je pars avec vous.

— Savez-vous, mademoiselle, que c'est difficile, il faut être préparé et très déterminé.

— Je le suis.

— Hélas pour vous, je marche seul et j'y tiens...

— Mais je me ferai toute petite, je suis discrète.

— Je regrette, c'est impossible et...

— Je vous ferai la cuisine.

— Rien à faire. Je veux être seul.

— Mais...

— N'insistez pas, je vous en prie, c'est impossible. Par exemple, voyez-vous, compte tenu des conditions du voyage, nous serions amenés à dormir ensemble et vous êtes si jolie que...

— D'accord !

Il m'a fallu une grande force d'âme pour résister à cette proposition si spontanée. D'autres prennent l'affaire avec plus d'humour. Lorsque je précise que je perds douze kilos environ à chaque saison de marche, il n'est pas rare qu'une dame en difficulté avec sa balance s'exclame : «Je pars avec vous!»

En dehors des conférences qui m'appellent un peu partout, je rencontre aussi beaucoup de gens lors des festivals ou salons littéraires. Ils ont plaisir à me conter leurs propres voyages en précisant toujours : «Pas comme vous, bien sûr.» Et revoilà l'auréole.

On m'a souvent reproché de n'avoir pas mis d'illustrations dans mes ouvrages. Mettre des photos dans un livre d'aventures donne une certaine crédibilité au récit, mais, à mon avis, ce n'est pas une bonne idée. Un livre est pour moi la rencontre de deux personnes qui lui apportent autant l'une que l'autre. L'auteur, par la précision de ses descriptions ou l'évocation de ses émotions, fait naître des images dans la tête du lecteur. De son côté, celui-ci dispose d'un imaginaire qui va lui permettre de retenir, de s'approprier, d'enjoliver telle ou telle image. Il va entrer seul dans l'histoire, qu'il s'agisse d'un roman ou d'un récit. Il y apporte sa culture, sa sensibilité, son humeur du moment. Et de cette magie qu'est la rencontre entre l'écrivain et le lecteur naît un ouvrage unique. Car personne ne lit le même. Chaque lecteur réinvente «son» histoire.

Les mots sont les mêmes, les images, les émotions sont différentes. C'est pourquoi, après y avoir réfléchi, je n'aime pas les récits qui sont accompagnés de photos, même si, par suivisme, j'avais envisagé un instant d'en mettre dans le premier volume de *Longue marche*. Car le cliché, par sa précision et par son réalisme, remet tout le monde sur le même plan. Tel homme dont je décris la bonté, le sens de l'hospitalité, l'intérêt de l'échange, l'amitié donnée sans barguigner mais qui n'est pas photogénique, cet homme si chaleureux sera trahi par sa représentation, sur papier forcément glacé. Le récit, c'est la place au rêve. Il faudrait, si photo il y avait et pour rétablir la balance, que je marche avec un photographe capable, par tout un travail de création, de rendre cette atmosphère particulière de la rencontre. Je n'ai pas ce talent. Les milliers de photos que j'ai prises n'avaient pour but que de suppléer à ma mauvaise mémoire et de fixer sur le papier les visages ou les paysages dont j'aurais été bien incapable de me souvenir avec précision au retour. C'est pourquoi j'ai tenu bon et refusé mordicus de mettre des photos dans *Longue marche*. Toutefois, je ne pouvais ignorer toutes ces demandes. Après tout, si le livre avait tant de succès, c'était au moins autant grâce à mes lecteurs qu'à mon récit.

Aussi en 2005, ai-je craqué. Lors d'un festival,

j'avais rencontré un dessinateur de talent, François Dermaut, célèbre pour sa bande dessinée intitulée *Malefosse*. Il m'avait demandé des «tuyaux» sur le chemin de Compostelle qu'il rêvait de faire avec Nathalie, son amie. Nous avions parlé et sympathisé. Lorsque je suis arrivé à Xi'an, disposant d'un peu de temps avant de reprendre l'avion, j'ai envoyé quelques cartes postales à des amis parmi lesquels François. Je lui demandai s'il avait finalement accompli la route du Puy-en-Velay à Santiago. Sa réponse fut un livre illustré d'aquarelles qu'il m'envoya. J'y découvris un récit sur un chemin que je connaissais bien mais aussi des dessins d'une perfection telle que ma décision fut vite prise. Un jour, j'arrivai sous un prétexte futile chez François et Nathalie qui s'étaient mariés après leur marche. Nous dînâmes dehors devant leur maison de Rochefort et, au dessert, je lançai :

– Je repars sur la route de la Soie pour faire un livre d'images que me réclament mes lecteurs. Serais-tu d'accord pour qu'on le fasse ensemble ?

– Volontiers, répondit mon ami, mais il faudra m'envoyer beaucoup de doc, je ne connais pas du tout ces régions.

– Il n'est pas question de t'envoyer quoi que ce soit. Tu viens avec moi !

Nathalie attendait un bébé. Il fut entendu que

François me donnerait sa réponse dès qu'il serait rassuré sur la santé de la mère et de l'enfant. Et quelques semaines plus tard, je recevais un bristol rigolo m'annonçant la naissance de Jeanne et l'accord de François.

Ce fut un voyage agréable. Et surtout, il me donnait le bonheur de revoir quelques-uns des amis qui m'avaient accueilli. Nous refîmes la route de la Soie en neuf semaines, en voiture et accompagnés partout d'un chauffeur et d'un interprète. Un voyage de riches, ou presque. J'étais éberlué par le talent de mon camarade et conquis par la bonne humeur inoxydable de cet homme qui n'avait que rarement quitté sa planche à dessin et se révélait un voyageur capable de supporter gaiement les petits désagréments qui ne manquent pas de se produire en chemin. Son humour séduisait toutes les femmes de rencontre, et pour un peu, j'en aurais été jaloux. Il est résulté de cette nouvelle aventure un très bel ouvrage illustré par quelque deux cents aquarelles de François, intitulé *Carnets d'une longue marche*.

Après l'aventure asiatique et le long cheminement qui m'a conduit jusqu'à Xi'an, puis ce retour auprès de mes amis de la route de la Soie avec François, mon aventure littéraire n'a pas été moins enrichissante, au sens littéral du terme. Avec plusieurs centaines de milliers de livres vendus et des traductions dans plusieurs langues, je me suis retrouvé à la tête d'une petite fortune. Mais cette manne n'aurait pas eu grand intérêt si elle ne m'avait permis de commencer la véritable aventure de ma retraite : la création de Seuil.

VIII

Seuil : une vie recommencée

En mai 2000, mon grand projet de retraité se présentait sous les meilleurs auspices. J'étais enfin prêt pour l'acte qui, à mes yeux, rembourserait la société de ce qu'elle m'avait donné. J'avais la conviction de détenir toutes les cartes nécessaires à mon grand œuvre. Mon premier atout était une longue expérience personnelle de l'effet «résilience» de la marche. L'effort qu'elle représente et les conséquences qu'elle a sur le corps et l'esprit sont propres à redonner espoir à de jeunes égarés. Mes aventures compostellane puis asiatique ne m'avaient-elles pas permis de sortir de l'angoisse qui m'avait saisi lorsque la Sécurité sociale m'avait «liquidé» et mis «en retrait»? Partir marcher, c'est se tendre la main à soi-même, aller chercher au fond de soi les forces qui vous manquent quand plus personne ne sait ou ne peut vous venir en aide.

Mon deuxième atout n'était pas non plus négligeable. L'intérêt que des dizaines de milliers de lecteurs portaient à mes livres était, grâce aux droits d'auteur qu'ils me procuraient, une source de financement toute trouvée. J'ai vu trop de gens animés des intentions les plus généreuses épuiser leur énergie en allant tendre la main à des entreprises ou des administrations, lesquelles sollicitées de toutes parts se montrent exigeantes. Les conditions mises par les donateurs pour lâcher un chèque répondent tout naturellement à leur intérêt bien compris. Le jour où l'argent arrive enfin, s'il arrive, le projet, à force de coups d'épingle destinés à répondre à d'autres intérêts, se dénature ou prend l'eau et sombre. Grâce à mes droits d'auteur, je retrouve la liberté d'aller que j'avais sur la route de la Soie.

Par mon travail et mon sens de l'épargne, je m'étais patiemment mis à l'abri du besoin au cours de mes quarante ans d'activité professionnelle. À mes enfants, le plus précieux des cadeaux fut de leur permettre de faire les études qu'ils souhaitaient. Grâce au scénario de *Bébé coup de foudre* qui m'avait rapporté une somme rondelette et imprévue, je les ai chacun aidés à devenir propriétaire d'un petit appartement à Paris. Plus tard, j'y ai ajouté un ordinateur et une imprimante. Au-delà, je les ai prévenus : ayant le toit pour s'abriter, le savoir et l'outil pour travailler, ils ne devaient plus compter sur moi. Ils devraient, pour hériter, attendre le jour où je partirai pour ce grand voyage où l'on n'emporte pas le moindre bagage. C'est donc l'esprit libre que je pouvais consacrer une partie de la manne constituée par mes droits d'auteur – du moins ce que m'en laissait le percepteur particulièrement gourmand – au projet Seuil. Mais avant de passer à l'acte, il me fallait m'instruire, savoir précisément en quoi consistait la méthode mise en œuvre en Belgique.

Dès mon retour de Compostelle, en 1999, j'ai engagé une recherche pour retrouver l'organisme à l'origine de la marche de ces jeunes que j'avais poursuivis en vain sur le chemin de Santiago. Les marcheurs constituent une chaîne d'amitié qui subsiste après la fin du parcours. Entre pèlerins, on communique beaucoup et ceux qui ont fait Compostelle vous parleront de «radio Camino», version espagnole du «téléphone arabe». J'ai interrogé les amis de rencontre. Tout le monde les avait vus ou avait entendu parler de cette association. C'est Monique, une véritable activiste de la marche, qui m'a sorti d'affaire. «J'ai longuement parlé avec Rik, un ami belge de Bruges. Son fils a accompagné des jeunes "prisonniers". Il devrait nous mettre sur la voie.»

En décembre de cette même année, nous voilà partis dans la voiture de Monique pour la belle ville de Bruges où nous fûmes reçus magnifiquement par Rik. Le jeu de piste nous conduisit ensuite à Tildonk, une petite bourgade de la Flandre belge. Les responsables d'Oïkoten nous expliquèrent longuement leur histoire, leur méthode, leurs résultats. Dimitri, dont l'un des parents est français et qui s'exprime admirablement dans notre langue, ne nous cacha ni les succès ni les échecs. Nous étions en face de professionnels, soutenus efficacement par les pouvoirs publics, des juges, des éducateurs et des gardiens de prison, ouverts à l'innovation. Ils partaient de ce postulat : puisque les vieilles méthodes ne donnent pas de bons résultats, quel risque y a-t-il à en expérimenter d'autres ? La double signification du terme grec *Oïkoten* résume parfaitement leur approche : il veut dire «de la maison» et «par ses propres moyens». La méthode consiste donc à sortir les jeunes de leur milieu criminogène et à leur faire prendre conscience qu'ils sont les seuls acteurs réels de leur thérapie. Car il s'agit bien de cela. La difficulté est de les rendre autonomes. Comme pour un alcoolique à qui il faut apprendre à dire «non» quand on lui offre un verre.

Oïkoten ne s'embarrasse pas de grands principes. Les lieux visités sont librement décidés : les pays Baltes, l'Italie, la France, et surtout Compostelle, à pied et parfois à vélo.

La première marche frôla le fiasco. Sur les cinq jeunes partis avec deux accompagnateurs, trois revinrent encadrés par des gendarmes français, après avoir semé la zizanie et provoqué une grosse bagarre dans un village auvergnat. Néanmoins, avec bon sens, il fut convenu de laisser les deux autres aller au terme du voyage puisqu'ils n'avaient pas participé à l'échauffourée. Ils revinrent transformés, fiers de leur exploit et décidés à reprendre le bon chemin.

Conclusion des animateurs d'Oïkoten : à cinq, l'effet «bande» est nocif. Au cours de la marche, certains calquaient en effet leur comportement sur les éléments les plus durs. Autre constatation : avec deux jeunes accompagnés par un adulte, l'effet «gang» est moindre. Les délinquants flamands se montrant de plus en plus violents et de plus en plus précoces – comme chez nous –, Oïkoten décida, toujours avec pragmatisme, d'organiser des voyages «en solo», c'est-à-dire avec un gamin et un adulte. Au lieu de 80 %, ils amenèrent 95 % des marcheurs jusqu'au but.

Monique et moi revenons enthousiastes de notre épopée belge en cette fin d'année 1999. Les chiffres qu'on nous a donnés parlent d'eux-mêmes et ils sont fiables puisque, depuis ses débuts, vingt ans auparavant, l'association de Dimitri a déjà fait marcher des centaines de jeunes. 80 % vont jusqu'au bout de l'épreuve ; 20 % de ces derniers, hélas, récidivent. Mais ce sont près de 60 % des jeunes partis marcher qui s'en sortent. Des résultats fabuleux par rapport à ceux qui résultent de l'emprisonnement : il est en effet admis que 95 % des adolescents incarcérés avant 18 ans récidivent. Ainsi, la prison, chère et peu efficace, ne sauverait que 5 % des ados qui passent entre ses murs. Un vrai crève-cœur. La méthode Oïkoten, mieux adaptée – puisqu'elle fait appel à l'intelligence, à la volonté et au courage et non à la menace ou à la crainte –, est plus efficace que la prison, même si elle est beaucoup plus compliquée à mettre en œuvre. Elle est aussi nettement moins coûteuse.

Tout en achevant la rédaction du premier tome de *Longue marche,* je rédige les statuts de l'association Seuil. Le mot me plaît. J'ai fouillé dans mon encyclopédie et quelques dictionnaires [1] pour

---

1. Dont bien sûr le *Dictionnaire des symboles* et le *Dictionnaire historique de la langue française.* J'adore les dictionnaires.

faire le tour de ce qu'il véhicule. Il est porteur d'une symbolique forte même si je doute qu'elle soit perceptible par les délinquants que nous emmènerons. «Ne restez pas sur le seuil, entrez!» disons-nous au visiteur étranger qui se présente à notre porte. Ainsi, Seuil se fixe comme objectif de faire «rentrer» dans la société des petits voyous qui se sont marginalisés et ne peuvent plus, seuls, retrouver la porte. Dans le code de l'hospitalité, se tenir sur le seuil manifeste un désir d'adhésion aux règles qui régissent la maison. Au contraire, interdire son seuil à quelqu'un, c'est le renier. Franchir le seuil exige une certaine pureté d'intention. C'est le passage du profane (l'extérieur) au sacré (l'intérieur). J'ai pu constater l'importance de cette notion en Asie, qu'elle soit islamiste ou bouddhiste. On se déchausse pour pénétrer dans les maisons et dans les lieux de culte, temples et mosquées. À l'entrée des sanctuaires chinois, il faut enjamber une barre de bois qui représente le seuil. Elle ne doit pas être foulée par le pied car elle s'enfoncerait dans le sol et, cette frêle protection disparue, des hordes de démons pourraient librement pénétrer dans le lieu sacré. En Afrique, chez les Bambaras, le seuil, associé au culte des ancêtres, est sacré. Rabelais lui donne la signification d'un début, le passage d'un état dans un autre. À certaines périodes, le mot signifie aussi base, fondement.

Par son étymologie, «seuil» est aussi lié à la marche puisque le mot vient du latin *solea* qui désigne la semelle placée sous la plante du pied. À Rome, l'esclave va pieds nus. Le port de la chaussure, symbole de liberté, est le signe qu'un homme s'appartient à lui-même et qu'il est responsable de ses actes. C'est tout cela que nous souhaitons pour les jeunes qui, leur marche de 2 000 kilomètres achevée, seront le symbole vivant de cette liberté et franchiront le «seuil» de la société en notre compagnie. Les godillots dont nous les affublerons seront les véhicules de leur liberté.

Les premières dépenses, louer un bureau, acheter du matériel informatique, des trombones et des crayons, furent une simple formalité qui écorna peu le magot de mes droits d'auteur. J'avais le trésor de guerre, ou du moins une partie. Restait la guerre, autrement dit les moyens de prendre en charge des adolescents. Et pour ce faire, il fallait des troupes. Dans ce domaine, j'étais moins à l'aise. Au cours de ma carrière professionnelle, j'ai presque toujours agi comme simple troufion sans jamais avoir l'ambition de devenir caporal, a fortiori colonel. Informer était mon unique objectif et j'avais fui les responsabilités de chef pour rester au plus près de l'actualité. Après ma retraite, la marche et l'écriture étaient des exercices solitaires où je n'avais que moi-même à gouverner. Par ailleurs, si les revenus des livres constituaient une jolie somme, elle n'était pas suffisante pour embaucher des salariés.

Là encore, le miracle se poursuivit. Mon éditeur accepta d'ajouter une page à la fin de chaque volume de *Longue marche*. J'y expliquais en quelques mots le projet Seuil. Très vite, des lecteurs ou lectrices, marcheurs pour la plupart et donc pénétrés des vertus de la randonnée, se présentèrent pour apporter leur aide ou leur contribution. S'y ajoutèrent d'autres volontaires venus par le biais de cette institution géniale qu'est le Centre du bénévolat, lequel oriente les personnes en fonction de leur disponibilité, leurs inclinations et leurs capacités. Le bouche à oreille des amis fit le reste.

Seuil était placé sous l'aile d'un ange protecteur. Avions-nous besoin d'une supersecrétaire, active, solide et généreuse ? Chantal arriva et assume depuis le début une présence quotidienne chaque matin. Elle fut tout de suite le pivot d'une pléiade d'acteurs aussi efficaces, disponibles et motivés qu'on pouvait le rêver. Fallait-il un informaticien ? Olivier vint, qui bricole nos ordinateurs et prend en charge le site Internet avec la Britannique Judith. Et l'arrivée d'une jeune étudiante allemande donna à Seuil, pour un temps, un petit côté international. Un autre Olivier s'occupe des personnes qui, en province, brûlent d'envie de créer des «antennes» locales. Il nous fallait bien sûr un comptable : voici Benoît, assisté de Bernard (un autre) qui travaille en liaison avec notre secrétaire général Patrick, un faux calme mais un vrai bosseur. Étienne et Bernard (un troisième) établissent la liaison avec les juges et les éducateurs, cependant que Jacques, avec une sérénité rassurante, organise tout ce monde. Ce dernier, avec un humour très britannique qu'il a sans doute fortifié durant ses années de travail à Londres, commente sobrement : «Seuil, c'est comme du papier tue-mouches. Une fois qu'on s'y est posé, on ne peut plus repartir.» Françoise, avec son énergie jaillissante, apporte son expérience de l'organisation des entreprises de services. Anne-Lucie et Nathalie coordonnent les accompagnants et les marcheurs qui partiront sur le terrain. Sylvie et Sylvain établissent des ponts avec les entreprises en vue de trouver des débouchés pour les jeunes, de retour des marches. Ils essaient aussi d'obtenir quelques sous afin d'assurer le développement de Seuil. Éliane, puis Claude et Emmanuelle, trois psychologues, nous aident à comprendre comment fonctionnent ces drôles de paroissiens que sont les adolescents en grande difficulté. Nul besoin d'un président, tous sont compétents, efficaces et joyeux, comme Paul qui, à peine retraité du ministère de la Justice, vient nous apporter son expérience, et l'autre Patrick qui, derrière sa moustache, prodigue des conseils de grand bon sens.

Il serait trop long de faire la liste de tous ceux qui apportent leur pierre à l'édifice. Je ne peux citer toutes les bonnes volontés, ces jeunes et vieux soudés vers le même but, qui nous rejoignent. Et pas seulement à Paris. Des candidats se manifestent dans la plupart des régions. J'en suis ébahi. Ils arrivent un jour calmement, pleins de compétences et d'une confiance totale dans Seuil. Ravi, je vois se rassembler cette troupe avec autant d'étonnement que j'ai vu fondre les piles de mes livres dans les librairies. Qu'ai-je fait au ciel pour être ainsi comblé ? Les dés sont jetés, je suis désormais non plus initiateur mais porté par l'idée : aider les jeunes en difficulté. Dans le désert d'individualités égoïstes qu'est notre société, il se crée une oasis de générosité envers les plus rejetés, les plus démunis ou les plus en danger des gamins des cités et des «quartiers».

Si les individus arrivent, les organismes ne sont pas en reste. Le Lyon's Club et le Rotary Club nous font part de l'intérêt qu'ils portent à Seuil. Le président du Lyon's de Tours se propose même de monter une antenne. Avec l'un de ces organismes, nous travaillons à mettre en place l'insertion professionnelle de jeunes dès leur retour de marche. On me demande de faire des conférences au profit de Seuil. Des dons de plus en plus nombreux viennent s'y ajouter. Nous avons les talents et l'argent, il ne reste plus qu'à se mettre au travail.

Je suis convaincu que le projet est si «porteur» que les pouvoirs publics seront ravis de cette méthode neuve, simple dans son principe, très difficile dans son application et humainement prometteuse. D'autant qu'elle a une vertu cardinale : elle a déjà été longuement expérimentée. En outre, si elle se révèle bien plus efficace que la prison, elle est aussi de trois à quatre fois moins chère : l'incarcération est en effet presque aussi coûteuse que l'hôpital, soit environ 900 euros la journée.

La majeure partie des personnes qui rejoignent le projet Seuil sont des «inactifs»: retraités, pré-retraités, chômeurs... Comme moi, ils refusent d'être mis «à la casse» et passés par pertes et profits par un système qui ne sait plus aimer et n'aspire qu'à compter. Je suis frappé de voir comment s'exprime leur besoin de se rebeller contre cette mise à l'écart : aider des jeunes encore plus marginalisés, encore plus rejetés qu'eux par la logique d'efficacité, de rationalité qui désormais tient le haut du pavé d'un libéralisme un peu trop arrogant et débridé.

Alors que Seuil naît, je me fais l'effet de naître à nouveau, mais à 60 ans. Ou plutôt d'arriver enfin, après bien des détours, à la pleine vie. À celle que, inconsciemment sans doute, j'ai mûrie durant toutes ces années d'enfance, d'apprentissage et de travail. Non, la vie ne s'arrête pas à la retraite. Pour ce qui me concerne, je dirais même qu'elle commence.

Et voici qu'avec ces êtres généreux qui se joignent à moi je peux rêver de construire un petit bout d'univers plus humain, fait de rencontres, de générosité et d'humanité. Ces hommes et ces femmes, ces jeunes, ces vieux qui réunissent leurs talents et leurs forces ne veulent pas accepter l'inéluctable, la société qu'on leur propose ou plutôt qu'on leur impose. Un délinquant n'est pas toujours une brute qu'il faut absolument réduire et humilier. Il est plus souvent un enfant blessé qui appelle au secours à sa manière, un malade social qu'il importe de soigner. Avec des moyens dérisoires, mes amis nourrissent ce projet par la seule force de leur conviction et de leur croyance dans l'idée que personne n'est jamais perdu. Nous allons, ces jeunes, les placer bien au milieu du sentier de la vie et, sur des milliers de kilomètres couverts à petits pas, nous allons faire pousser de l'espoir à force de compagnonnage.

Il faudra plus d'une année pour accomplir les formalités et franchir les premiers obstacles à la création de Seuil. Nous piaffons du désir de bien faire et les barrages qui se dressent nous déstabilisent un peu. Le 22 mars 2002, Marcel, qui dans la vie est moniteur d'auto-école, part avec deux jeunes Normands. Leur profil est très représentatif des jeunes en danger : mère alcoolique et famille nombreuse. Cinquante-six « affaires » ont amené le premier devant le juge pour enfants : à 15 ans et demi, c'est un joli palmarès. Le second, moins abonné au cabinet du juge des enfants, est un gringalet violent et redoutable : lorsqu'il se bagarre, son adversaire se retrouve en morceaux à l'hôpital.

Avec l'aide de Marcel, nous organisons le stage de « pré-marche » qui permet, pendant une semaine, de préparer physiquement et mentalement les jeunes au long voyage qu'ils vont affronter. Le trajet retenu part de Gênes, en Italie, descend vers le sud jusqu'à la ville d'Assise, puis remonte vers le nord, traverse Venise et Côme, pour s'achever à Milan. Au total, 2 500 kilomètres que l'équipe devra couvrir en quatre mois. Les sacs à dos sont bourrés d'un équipement que nous souhaitons léger, mais notre inexpérience n'a pas encore permis de trouver les matériels performants utilisés par la suite. Le stage se déroule bien.

À la fête organisée pour leur départ, outre les éducateurs, un juge a fait le voyage pour souhaiter bonne route au jeune auquel il a proposé la marche. Il a été, me dit-il, très surpris que l'adolescent adhère immédiatement au projet. C'est une des difficultés dans nos relations avec les juges et les éducateurs. Un parcours de 2 000 à 2 500 kilomètres apparaît bien souvent comme une «punition» disproportionnée aux yeux des personnes qui n'ont pas de pratique sportive. Pour eux, une marche est bien plus pénible que la prison. C'est absurde. Pour les mêmes, la prison, qui est l'autre choix, finit par sembler banale. La réponse est pourtant simple : les jeunes délinquants adhèrent au projet Seuil parce qu'ils ont un sens très développé du défi, sinon ils ne seraient pas délinquants. Par ailleurs, les éducateurs ou les juges qui pratiquent la marche – mais ce n'est pas la majorité – savent que la distance de 25 kilomètres par jour que nous demandons aux jeunes est tout à fait raisonnable. Un autre handicap pour Seuil réside dans la nouveauté de la méthode.

À peine éteints les lampions de la fête, Marcel et les deux gamins prennent le train pour l'Italie. Au passage, l'un d'eux fauche le téléphone portable qui doit nous servir à communiquer avec l'accompagnant. Dès le premier jour, nous sommes prévenus : pas d'angélisme, ne jamais relâcher la garde. Nous n'avons pas affaire à des enfants de chœur.

Quelques jours plus tard, je prends l'avion pour la deuxième étape de ma route de la Soie. Jacques, un nouvel adhérent, prend le relais avec un sérieux, une implication et une compétence rares. Deux mois plus tard, le plus délinquant des deux jeunes abandonne, à Assise, sur un coup de tête qu'il regrettera aussitôt. Notre inexpérience d'alors ne nous permet pas de faire face à une situation que nous maîtriserions mieux aujourd'hui, ayant appris à surmonter les périodes de doute ou de découragement des marcheurs.

Le voyage se poursuit avec le deuxième adolescent. Resplendissant de santé, d'optimisme et de fierté, il revient auréolé de la gloire de la première marche Seuil réussie. À la fête de retour donnée en son honneur – je descends tout juste de l'avion qui me ramène de Chine –, je constate avec satisfaction que l'équipe a parfaitement fonctionné sans moi. Nous avons, pour qu'il garde le souvenir de son exploit, fait graver une plaque qui remplit le gamin d'orgueil. C'est l'objectif recherché : l'amener à penser du bien de lui-même. Il lance à son éducateur un «je veux travailler» qui nous fait chaud au cœur.

Une autre marche, organisée dans la foulée, se déroule en Allemagne, de Hambourg, au bord de la Baltique, jusqu'à Venise, au bord de l'Adriatique. Olivier, l'accompagnant, un superbe athlète qui a fait carrière chez les pompiers et se passionne pour l'éducation, emmène deux jeunes dont, de nouveau, l'un est «en danger» et l'autre «délinquant». Le premier, malgré nos efforts, s'arrête au bout d'une semaine de marche et rentre à la maison, comme il le souhaitait, pour s'enfumer dans ses joints à répétition. Nous aurons l'occasion de constater que les fumeurs de marijuana ne tiennent pas la distance – ce n'est pas, quoi qu'on en dise, une «drogue douce» dont on peut se passer du jour au lendemain. Le second adolescent, pourtant sujet à des accès de violence inouïe, ira jusqu'au bout. Par mesure de sécurité, nous assurerons en permanence la présence d'un autre adulte jusqu'à l'arrivée. Après son retour, la juge de ce gamin qui avait fait deux séjours en psychiatrie me téléphone pour me dire à quel point elle est impressionnée par la transformation qu'elle a constatée à l'issue de la marche.

Le bilan de la première année de Seuil n'est pas négatif. Nous avons amené un jeune sur deux jusqu'au bout. Éliane, notre jeune psychologue, travaille ardemment pour affiner ses analyses et nous conseille utilement lors des situations de crise. Soucieux d'améliorer nos méthodes, nous réfléchissons à cet aspect de notre travail lorsqu'une mauvaise nouvelle tombe : le directeur régional de la Protection judiciaire de la jeunesse (la PJJ, autrement dit l'émanation directe du ministère de la Justice pour la prise en charge des mineurs délinquants) de Normandie nous annonce qu'il n'y a plus d'argent. Il ne peut plus payer les sommes sur lesquelles nous nous étions mis d'accord. Nos modestes ressources, si elles permettent quelques dépenses courantes de fonctionnement ou d'équipement, ne financent qu'une partie des marches. À partir du moment où un juge prend une décision au nom de l'État, c'est à ce dernier de prendre en charge les frais qui en résultent, qu'il s'agisse d'un foyer, de la prison ou d'une association comme la nôtre.

Au lendemain des élections législatives de 2007, une lettre nous apprend que l'administration «envisage» – c'est un doux euphémisme – de ne plus travailler avec nous. La lettre est même diffusée dans la France entière aux directions régionales qui les répercutent dans les départements. Si nous ne faisons rien, Seuil cesse d'exister. Après un petit bras de fer et l'intervention de Rachida Dati, la ministre de la Justice, la décision est reportée et nous avons le droit, moyennant quelques aménagements, d'organiser des voyages en «solo». Fin 2008, un bilan sera établi et nous serons ou non «habilités Justice», ce qui nous permettrait d'organiser des marches pour une durée de 5 ans. Nous reprenons confiance.

Aller contre les idées reçues, c'est comme pousser le rocher de Sisyphe en haut d'une colline. À peine arrivé, il redescend. Il ne faut pas trop s'étonner de cet acharnement à nous ligoter pour nous empêcher d'agir. Si Seuil fait l'objet d'un rejet aussi fort de la part des administrations et des pouvoirs publics, c'est qu'il n'est pas apte à se glisser dans le moule patiemment fabriqué par l'administration de la Protection judiciaire de la jeunesse. Ou plutôt que le moule est trop rigide pour l'accueillir. Notre méthode est exactement à l'inverse d'une autre méthode – la prison – qui prétend répondre de la même manière à toutes les détresses. Avec Seuil, notre objectif est de faire du «cousu main», et d'adapter les parcours en fonction de chaque cas particulier.

Dans ces conditions, la poursuite de l'activité de Seuil tient du miracle. Car nous sommes aux antipodes des structures qui prennent des jeunes en charge. Circonstance aggravante, nous ne sommes pas de ces «professionnels» pour qui le terme «bénévole» est déjà une tare. Pis encore, on nous considère comme des «amateurs». En France, cela ne pardonne pas. Il existe des pays comme les États-Unis ou, on l'a vu, la Belgique, qui considèrent que lorsque quelqu'un arrive avec une idée nouvelle, on lui demande de l'expérimenter et, si elle produit les résultats escomptés, on la généralise. En France, un projet nouveau est sujet à méfiance. Le sacro-saint «principe de précaution» est conjugué à toutes les sauces, surtout lorsqu'on remet en question l'ordre établi, les habitudes, les routines. Toutes proportions gardées, je repense souvent à Parmentier qui eut tant de mal à faire manger des patates aux Français alors que l'arrivée de ce légume miracle sauva des milliers d'hommes de la famine. Courage et patience : entre l'invention du chauffage central et sa généralisation, un siècle s'est écoulé. Et dix ans après la guerre, il existait encore des associations de médecins antipastoriens qui affirmaient, comme le dit l'un d'eux : «Les microbes de ce M. Pasteur n'entreront pas dans mon hôpital.»

Nos compatriotes sont parfois un peu longs à comprendre. Une sorte de machine à perdre empile les erreurs comme des tables gigognes. L'opinion a peur et réclame de la répression, les politiques ont peur de l'opinion et réclament des prisons, les fonctionnaires ont peur des politiques et appliquent des lois toujours plus traumatisantes, les policiers ont peur des jeunes et tendent le bâton plutôt que la main aux adolescents. Politique de gribouille, violence institutionnalisée, mais tout le monde est rassuré.

Si notre cause est difficile à défendre face aux interlocuteurs de l'administration, elle rencontre un écho incroyablement favorable auprès de la population. Après la publication de *Longue marche* et celle d'un livre polémique sur les quartiers intitulé *L'Allumette et la bombe*, je suis invité dans toute la France à des dizaines de rencontres avec des lecteurs. Devant des salles pleines, venues aussi pour m'entendre parler de la route de la Soie, j'évoque Seuil. Et le public suit. Pas du bout des lèvres. Mes conférences sont suivies de nombreuses adhésions accompagnées d'un chèque ou de nombreux dons. Certains sont très généreux : l'un donne 1 000 euros, l'autre envoie 200 euros tous les deux mois. Cela me confirme dans l'idée que j'ai eue lors de notre brève interdiction : faire – si nécessaire – le tour de la France à pied, afin de recevoir des appuis qui ne sauraient manquer. L'arrangement qui est intervenu m'a dissuadé de mettre en œuvre ce projet. Face à un problème aussi douloureux que l'adolescence en souffrances, la prison et la répression ne peuvent être les seules solutions. Et malgré la lourde charge que représentent plusieurs dizaines de rencontres avec des lecteurs chaque année, j'entends garder ce contact avec le pays réel. Car comment ne pas aller jusqu'au bout, comment ne pas tendre la main à ces détresses adolescentes ? Si un seul d'entre eux était sauvé, nos efforts n'auraient pas été vains.

IX

Jeter un pont entre jeunes et vieux

Passer de l'adolescence à l'âge d'homme est une épreuve. Je le constate chez ces jeunes que des éducateurs à bout de solutions nous confient. Passer de la vie «active» à la retraite est tout aussi difficile. Dans un cas comme dans l'autre, certains sont déboussolés, surtout s'ils ne peuvent s'appuyer sur des soutiens affectifs solides. Mais considérons plutôt le côté positif : ce passage est aussi porteur de promesses. Si le temps est de l'argent, la retraite est un fabuleux filon. À ne pas confondre, je l'ai dit, avec je ne sais quelles vacances ou repos sans signification. Quel repos? Les métiers physiquement pénibles sont aujourd'hui – heureusement – très minoritaires. Pour avoir beaucoup donné, je n'insinue pas que travailler est chose facile. Les rythmes imposés, la pression et le stress qui affectent aujourd'hui tant de personnes dans les entreprises rendent plus nécessaire que jamais l'organisation de plages de lenteur dans la vie qui court. Les actifs, eux aussi, devraient redécouvrir la marche ou n'importe quel sport plutôt que le far-niente qu'on leur promet, contre forte somme, sous les palmiers. Du nerf, que diable!

L'idéal, évidemment, ce serait l'élixir de longue vie. Ou du moins le nectar de bonne vie jusqu'au bout. Eh bien! ne cherchez plus, vous l'avez déjà dans la tête et surtout dans les pieds. Marchez, bougez, pensez, agissez, riez, vous vivrez longtemps en bonne santé. C'est mille fois plus agréable et efficace que toutes les pilules miracle que des boni-menteurs chercheront à vous vendre. Ne les écoutez pas. Marchez, vous avancez et l'Alzheimer recule.

Ce n'est pas seulement moi qui le dis mais d'éminents chercheurs américains qui ont mené des études dans ce domaine. Car la société améri-caine, comme la nôtre, vieillit. Elle tente de stimuler un peu ses neurones déprimés avec des gadgets. En 2005, ses seniors ont acheté pour deux millions de dollars de jeux interactifs. En 2007, ils ont dépensé quatre-vingts millions dans ces mêmes machines qui décervellent leurs petits-enfants. Et ce n'est pas fini, le créneau est, comme disent les commerciaux, très «porteur».

Or, deux chercheurs, Sandra Aamodt et Sam Wang[1], remettent les pendules à l'heure. Selon eux, le meilleur remède contre la dégénérescence mais aussi contre les maladies cardio-vasculaires, c'est de marcher entre 30 et 60 minutes par jour. Ils font remarquer que les anciens athlètes sont moins touchés par la maladie d'Alzheimer.

Combien de paires de chaussures les seniors d'outre-Atlantique auraient-ils pu s'acheter avec ces quatre-vingts millions de dollars, tout en se maintenant en bonne santé physique et mentale, au lieu de s'abrutir avec des petites machines électroniques «made in China» qui ne musclent que leurs pouces?

Il n'empêche. La négociation du virage «retraite» est complexe. Il faut, tout à la fois, redonner du temps au temps et, dans le même élan, repousser de toutes ses forces la tentation de l'inaction, ce «repos» menteur, ce pré-repos éternel qui mène à la décrépitude et à la mort.

Certes, sur le plan physique, chacun doit faire face à des misères plus ou moins importantes. Alors que j'atteins 70 ans, de petits dysfonctionnements, tels des clignotants d'alerte, se multiplient. Même si aucun ne m'empêche de vivre.

---

1. Cités par le *New York Times* du 8 novembre 2007.

Le premier qui me toucha voici plus de trente ans fut, comme pour beaucoup d'hommes, la perte de mes cheveux, suivie quelque dix ans plus tard par la baisse de mon acuité visuelle et de mon audition – séquelle du traitement antituberculeux subi dans ma jeunesse. Les chocs encaissés sur la route de la Soie ont laissé quelques traces encombrantes dans ma carcasse. L'amibiase qui m'a terrassé en 1999, à deux pas de la frontière iranienne, se manifeste par intervalles dans l'intimité de mon système digestif. Les vilaines petites bêtes, conscientes de ma mauvaise mémoire, tiennent à me rappeler qu'elles existent. Allant au-devant du soleil dans les quatre déserts traversés, la peau de mon visage est recuite, mais je n'ai à m'en prendre qu'à moi-même. Voulant vivre comme les paysans penchés sur leur bêche à l'heure incandescente de midi, j'ai méprisé les crèmes solaires, qui auraient sans doute permis à ma peau de préserver une fraîcheur presque juvénile. Je promène aujourd'hui un visage tanné, un teint rubicond comme celui d'un berger du causse porté sur la piquette locale. De même, j'ai trop regardé en face tous les soleils rencontrés sans recourir aux verres teintés qu'affectionnent tant les touristes en goguette. Après tout, c'est ma manière de briller dans le monde.

Ces quelques bobos ne me pèsent guère. C'est en quelque sorte mon droit de passage dans le fameux «troisième âge». Je ne vois pas pourquoi je serais dispensé de l'acquitter comme tout le monde. Et lorsque j'ai un peu mal aux vertèbres lombaires, une petite zone de fragilité de ma colonne vertébrale, je pars marcher. C'est en général le meilleur remède contre le mal de dos. Pourtant, nombreux sont ceux qui m'affirment : «Je marcherais bien, mais j'ai mal au dos.»

À 20 ans, on ne connaît pas son corps car il fonctionne si parfaitement qu'il se fait oublier. L'âge venant, quelques aptitudes ou dispositions, présentes depuis si longtemps que je les avais crues éternelles, me laissent, sans prévenir, carrément tomber, les traîtresses. Une petite sonnette me rappelle opportunément mon statut de mortel et prévient que, l'heure venue, je devrai céder la place, qu'il me faudra passer la grande porte.

Au regard de ces légères contrariétés, j'ai une heureuse nature qui me fait digérer aisément les divers avatars de l'âge. Au début, cela m'irritait de me lever chaque nuit pour pisser et de ne pas pouvoir me rendormir. J'en profite aujourd'hui pour rattraper mes retards dans la pile des livres entassés près du lit. Mon amour de la lecture transforme la corvée en plaisir.

J'ai eu toute ma vie dix sur dix à chaque œil. Je n'accepte pas encore tout à fait l'obligation de porter des verres correcteurs, sans doute un reste de coquetterie déplacée. Le résultat est qu'avec une constance toute freudienne je ne parviens pas à les garder sur mon nez et, depuis plus de vingt ans, je les égare dix fois par jour. Désormais, je prends la chose avec humour. L'affaire est l'occasion d'un petit jeu de piste qui me distrait du train-train. Je tiens toujours, au même endroit, une paire de vieilles bésicles qui m'aident dans ma traque, tant il m'est impossible de retrouver mes lunettes sans lunettes. Un jour viendra où je devrai les porter du matin au soir pour ne les quitter qu'à l'heure du coucher. J'aurai alors franchi une étape de plus vers le néant, mais je cesserai de les perdre. La vie, en attendant la mort, est une longue suite de bonnes nouvelles…

Je l'ai dit, je ne supporte pas l'inactivité et, sans être un hyperactif, m'efforce de toujours faire fonctionner mes muscles ou mes neurones. Côté muscles, je n'ai pas à me plaindre et j'ai conservé, malgré mon âge avancé, une bonne santé et une silhouette ma foi presque présentable. Du côté des exercices plus intellectuels, la lecture et l'écriture m'interdisent de m'intoxiquer de feuilletons télévisés. Pour entretenir mes neurones, j'ai découvert une activité à la fois stimulante et frustrante, tout à fait digne de mon statut de senior : le sudoku.

J'avais, il est vrai, décidé en sixième que je ne serai jamais bon en maths et que les chiffres et moi serions définitivement fâchés. La seule vue de mon relevé bancaire m'est insupportable et je demande régulièrement à mon ami Claude de m'aider pour ma déclaration d'impôts. Mais le sudoku, c'est autre chose. Un sport très cérébral qui consiste à faire entrer dans une grille une série de chiffres de 1 à 9, afin qu'ils ne se trouvent jamais plus d'une fois sur une même ligne ou dans une même colonne. J'ai acheté un carnet comportant une centaine de problèmes. L'exercice m'obsédait. Je ne lisais plus, n'écoutais plus la radio qui m'empêchait de me concentrer et il arrivait qu'un problème non résolu me réveille la nuit. Au bout d'une semaine, j'ai déchiré le carnet. Mais je n'ai pas renoncé à m'exercer de temps à autre, il existe des grilles à foison dans les quotidiens et les magazines.

C'est la nécessité de se concentrer qui m'intéresse dans le sudoku, car l'âge distend cette faculté. Aussi, je m'essaie à la résolution d'un problème lorsque j'ai le choix ou l'obligation de «tuer» un peu de temps. Car ce jeu est un remarquable tue-temps. Adepte farouche du chemin de fer, le nez dans mes chiffres, j'efface le temps de transport.

Je recherche des grilles de plus en plus complexes, mais sans me faire d'illusion. J'ai été et reste un joueur d'échecs très modeste et les sudoku de force «très difficile», «expert», voire *diabolik* demeurent, sauf exceptions, largement hors de ma portée. Qu'importe, l'essentiel est de faire s'agiter mes neurones. La marche, la course et le sudoku ont l'avantage d'être des exercices solitaires. Nul besoin de rechercher des partenaires comme ce serait le cas pour les échecs ou le tennis. Je m'y livre sans jamais chercher d'autre performance que de tenir à distance l'ennui qui, sait-on jamais, pourrait me prendre par surprise, le traître.

Mais tout cela n'est qu'écume. Pour l'instant, mon souci numéro un est Seuil. Et aussi l'envie de profiter de ma petite notoriété pour aider de jeunes talents. Car je suis convaincu que les jeunes et les vieux doivent jeter des «petits ponts» – j'aime cette expression – les uns vers les autres. Les premiers ont l'énergie, l'absence d'a priori, le désir de découvrir et de s'insérer dans le monde. Les seconds ont l'expérience qui peut être bien utile pour les débutants. Aussi, chaque fois que ceux-ci ont fait appel à moi, ai-je été heureux de leur venir en aide. D'ailleurs la majorité des amis que j'ai conservés dans la profession sont des jeunes gens que j'ai eus comme stagiaires ou à qui j'ai pu donner un coup de pouce grâce à mon carnet d'adresses. Mes vieux copains me reprochent souvent de les négliger. Il est vrai que j'ai peu de temps à leur consacrer. C'est la faute de ces nouveaux amis que sont mes lecteurs ou ces aventuriers en herbe, qui viennent me demander conseil. Ce qui m'embarrasse toujours car le «vieux sage» qu'ils s'imaginent consulter n'est que vieux et pas sage. Ou du moins pas assez.

J'ai ainsi plaisir à m'entretenir avec Benoît et Romain qui préparent un véhicule étonnant, bourré de technologies de pointe, un vélo à deux places qui tient autant du pédalo que du cycle avec lequel ils comptent aller à Calcutta. Je suis toujours ravi d'avoir des nouvelles de Rémi et Alexis qui ont demandé à leur école de commerce d'Angers un congé d'un an pour s'offrir une virée en Asie. Le jour de leur départ, nous avons, symboliquement, parcouru ensemble les cinq premiers kilomètres. Ensuite, marchant, «autobussant», «chemin-de-ferrant», ils se sont offert le plus fabuleux des cadeaux, incapables de s'arrêter, assoiffés de rencontres en Asie centrale, en Chine, en Inde, en Russie.

Il n'y a que deux périodes favorables pour s'offrir le monde : avant et après la carrière professionnelle. Entre les deux s'élabore une autre sorte d'aventure, la création de cette merveille essentielle que constitue une famille. C'est sans doute la plus grande affaire de notre vie. La décision de donner naissance à un enfant est un contrat à vie, indénonçable, indéchirable. C'est un contrat long. Je sais qu'il faut vingt-cinq ans pour aider, aujourd'hui, un enfant à s'insérer dans la société. Vingt-cinq années de petits soucis, de petites disputes et de grands bonheurs. Les fonctions de père ou mère de famille et de travailleur ne permettent pas, tant elles sont prenantes, d'envisager une aventure au long cours. Mais il y a des compensations.

Le contrat professionnel est plus facile à rompre, même si, pour beaucoup, il n'est pas moins prenant. On peut demander une année sabbatique ou des vacances longues, tout en sachant que dans une société, chacun doit apporter sa part. Lorsque je compare mon initiative avec celle de ces jeunes gens, je constate qu'elle ne diffère, après tout, pas beaucoup : je suis parti une fois ma carrière achevée, eux choisissent de partir avant.

Comme ces lauréats des bourses Zellidja qui m'ont fait l'honneur de me bombarder parrain de la promotion 2007, au cours d'une émouvante cérémonie dans le grand salon de la Sorbonne. Zellidja, cette fondation qui envoie chaque année plusieurs centaines de jeunes découvrir le monde, est la parfaite réussite d'une aventure intergénérationnelle.

Et aussi la démonstration des vertus éducatives du voyage en solitaire. Garçons ou filles, juste avant ou après le baccalauréat, présentent un projet de voyage – le plus souvent culturel – dans un pays de leur choix. Si le projet est accepté, ils reçoivent une bourse et partent entre quatre et huit semaines, seuls, dans un pays plus ou moins lointain. Au retour, ils doivent présenter un rapport sur leurs découvertes et aussi rendre compte très exactement de la manière dont ils ont dépensé l'argent qui leur a été confié. Mariage du rêve et du réalisme, de l'aventure et de la rigueur. J'ai rencontré, au travers des bourses Zellidja, des jeunes épanouis, brillants qui, en s'appuyant sur l'expérience des «vieux» lauréats, ont organisé une manifestation où flottaient leurs rêves, ramenés du monde entier. Les murs sévères de la Sorbonne ont dû s'étonner et se réjouir de tant de belles jeunesses. Quel bonheur pour moi de leur remettre leurs diplômes au son des flûtes et des guitares! Plusieurs m'ont dit que la principale difficulté pour partir au bout du monde avait été de convaincre leurs parents de leur faire confiance. Il est vrai que dans un monde où la peur est immanente, où papa ou maman conduisent leur progéniture à l'école en voiture pour leur éviter de couvrir les cinq cents mètres qui séparent la maison du collège, laisser partir un adolescent pour un voyage solitaire dans un pays lointain est un véritable acte de bravoure parentale. Il va de soi que, pour des jeunes, quitter le cocon familial est une décision à la fois difficile et essentielle, mais sans laquelle ils ne peuvent se construire. L'amour filial, s'il n'est qu'entraves, peut être redoutable.

Durant cette cérémonie où, très ému, je jouais le rôle du vieux routier ouvreur de chemin, je n'ai évidemment pu m'empêcher de faire un parallèle avec les adolescents qui nous sont confiés par des juges ou des éducateurs pour aller, eux aussi, dans un pays étranger, chercher un peu d'estime d'eux-mêmes. Avec une différence importante : ils y sont contraints par un magistrat. Mais ils doivent aussi, en prenant, sac au dos, le chemin que nous parcourons avec eux, rattraper en trois ou quatre mois tout le temps perdu et parier qu'ils seront capables d'inverser la machine à fabriquer du malheur qui les poursuit depuis l'enfance.

Les étudiants d'Agro, la prestigieuse école d'ingénieurs, m'ont également demandé de parrainer leur cérémonie de remise des diplômes. Quelle revanche, pour un autodidacte, de remettre les récompenses de ces jeunes savants ! Autant d'actes qui m'ont convaincu du caractère essentiel de ce passage entre les générations. Si leur choix s'est porté sur moi, c'est assurément parce que, à la sortie de l'école, ils se lancent, eux aussi, sur un chemin inconnu et difficile. Reste que je fais mon possible pour ne pas me laisser enterrer sous les honneurs. Quelques préfaces de récits de voyageurs, l'inauguration sympathique et sans chichis d'une nouvelle bibliothèque comme à Vignoc, en Bretagne, suffisent à rassasier mon petit ego et à remplir le peu de temps libre qu'il me reste.

X

Qui n'a pas de projet est déjà mort

Bien sûr, il faudra que j'y vienne, comme tout le monde, à ce temps du «retrait» où je perdrai une bonne partie de ma mobilité. Mais le plus tard possible. Pour l'instant, je n'ai pas le temps. Les Anglo-Saxons dont j'adore l'humour abrasif disent que l'âge mûr, c'est la période de la vie où l'on peut faire autant de choses qu'avant, mais qu'on préfère s'abstenir. Ce n'est pas mon cas. J'ai dans ma grande besace des tonnes de projets en réserve pour le jour où «je serai en retraite».

Le premier, en dehors de Seuil, est d'achever de construire ma maison. C'est la partie musculaire de mes jours à venir. J'ai avec elle une relation affective solide comme le béton précontraint. Danièle et moi voulions un toit pour abriter nos enfants. Nous avons conçu le premier le jour même où nous avons signé l'achat de cette ruine dans le pays d'Ouche. Vide depuis une dizaine d'années, elle se dégradait lentement. Un mur et une partie du toit étaient tombés. J'en connais chaque pierre, chaque ardoise, chaque pavé, chaque poutre, car pour l'essentiel, c'est moi qui les ai posés ou rénovés. Je me suis fait tour à tour maçon, charpentier, plâtrier, couvreur, électricien (très peu) et plombier (un peu). Il reste encore quelques bricoles à finir, mais une maison, comme une vie, est-elle jamais achevée ? Grâce à mes grands travaux, j'ai découvert un paradis comme celui que promettent toutes les religions, mais celui-là est bien réel. J'y vais de temps à autre m'offrir un peu de rêve. Je ne vois pas pourquoi je ne vous donnerais pas l'adresse. C'est au métro Hôtel-de-Ville, au sous-sol du BHV. On y a installé le septième ciel des bricoleurs, ces rêveurs impénitents qui donnent vie à leurs idées les plus fantasques.

J'essaie aussi, modeste jardinier qui n'a pas la main verte, d'aménager l'environnement tout en respectant la nature qui a, toute seule, fait pousser une forêt magnifique à la limite de mon champ. Comme mes forces finiront bien par m'abandonner, je viens d'acheter un tracteur de cinquante chevaux. Il m'aidera – si j'arrive à comprendre comment il fonctionne et comment lui adjoindre les outils qui vont avec – à entretenir la jeune et fragile futaie que j'ai plantée.

Depuis l'automne en effet, près de trois cents arbres prennent racine dans le champ qui jouxte ma maison. Je vais les cajoler, les soigner durant quelques années, en attendant qu'ils soient assez grands pour pousser tout seuls. L'affaire s'est faite avec tous mes amis et les amis de mes amis que j'avais conviés le temps d'un week-end, pour partager ce plaisir immense qu'est l'acte ô combien symbolique de planter. Nous avons conjugué l'avenir les mains dans la glèbe. Mes enfants, mes amis et mes futurs petits-enfants viendront pique-niquer dans leur ombre ou cueillir leurs fruits à l'automne. Ici, les végétaux poussent lentement. Il nous faudra de la patience, la terre chez moi est pauvre, caillouteuse. Elle est avare pour les arbres qui ont quelques difficultés à trouver place pour leurs racines entre les silex. Mais la vie triomphe toujours.

Dans ma maison, il y a aussi Orlaith, ma fidèle compagne. À 60 ans, j'ai découvert la gent à quatre pattes. Le jour de mon anniversaire, ma famille ne s'est pas contentée de m'offrir un fauteuil. On m'a aussi tendu une petite boule de poils d'où émergeaient deux yeux ourlés de menus cils couleur sable et une truffe rose. Une petite chienne vaguement labrador, toute chaude et inquiète – qui débarquait dans une assemblée bruyante et chahutante et cherchait sa mère dans tous les coins. Une amie irlandaise de passage l'a baptisée d'un prénom féminin de son pays, Orlaith (prononcez «orla») et me voilà avec un animal, pour la première fois de ma vie d'homme.

J'ai snobé le fauteuil, mais pas la chienne. Puisque nous étions liés pour une bonne quinzaine d'années pour elle et pour un bon moment de mon côté, bref, jusqu'au dernier souffle de l'un des deux, il fallait définir une règle du jeu. Comme elle ne proposait rien, j'ai décidé que je serai le maître et elle l'animal. Durant des semaines, chaque matin pendant dix minutes, nous avons décliné la loi qui nous régirait. Oui, non, assis, couché, viens, reste ici, attends, au pied, à la maison… J'ai appris à parler chien et elle à comprendre. Elle avait tous les droits, mais limités. Deux hectares de prairie devant la porte, mais pas question de franchir le portail – toujours ouvert – ou l'une des innombrables brèches de la haie qui mènent à la forêt. Droit de vaquer dans la grande pièce de la maison, mais les chambres absolument interdites. Pour la cuisine, seules les deux pattes avant sont admises. Elle y passe de longs moments dès que monte une odeur de viande ou de friture. Quant à grimper sur les fauteuils ou le canapé, il ne saurait en être question.

Quand, après huit mois de cohabitation, je l'ai confiée à ma sœur Michelle et à Raymond son mari, avant de partir pour mon premier voyage sur la route de la Soie, notre couple fonctionnait parfaitement.

Chaque matin, dès que je descends l'escalier de ma chambre, la petite boule jaune bondit d'une joie silencieuse mais ô combien parlante. Elle me fait croire que nous avons été séparés pendant des siècles et que le bonheur des retrouvailles est total.

Orlaith ne connaît pas le collier. Elle n'en a pas besoin et moi non plus tant ma voix est une laisse qui me permet de la positionner exactement où je veux, sur un simple mouvement du doigt. En ville, elle ne quitte le trottoir que sur mon acquiescement muet. Notre accord est si fort que la plupart du temps, un geste, un regard suffisent.

Un grand drame s'est joué dans la vie de ma chienne au moment où elle approchait de son dixième anniversaire. Une autre petite boule de poils, tigrée, a fait irruption dans la maison. Deux grands yeux dans une tête minuscule qui lui donne un faux air de E.T., de longues moustaches recourbées, une sorte de moteur intérieur qui fait un bruit de Berliet attaquant une forte côte, voilà

Kadéro, mon nouvel ami et le principal concurrent de ma chienne. Orlaith aurait bien volontiers croqué le chaton. Seulement, avec les félins, elle a un courage variable. S'ils se sauvent à sa vue, elle les poursuit hardiment. S'ils font face, elle passe au large. La minuscule chose que j'ai posée devant elle, bien qu'elle se hérisse le poil et crache comme un matou, n'aurait guère fait plus d'une bouchée. Mais j'ai indiqué d'un «non» catégorique que cette proie était intouchable. Durant une semaine, ils ont campé chacun à un bout de la pièce. Orlaith, partagée entre son appétit et l'interdit, refusait même de regarder la bête et détournait le regard obstinément. Le nouvel arrivant avait des privilèges insupportables : le droit de monter à l'étage, de grimper sur les fauteuils et les canapés. Surtout, ce poseur allait jusqu'à sauter sur mes genoux et à s'y endormir en ronronnant. Insupportable. Chaque fois que Kadéro s'approche de moi, Orlaith accourt avec un message simple : côté caresses, c'est moitié-moitié puisque tu as deux mains.

Le chat a lui aussi interdiction d'entrer dans la cuisine. Mais, que je tourne le dos, et vite vite, il s'y risque. Avec lui, pas d'espoir de dressage au millimètre. Encore heureux qu'il ait vite appris le sens du maître mot en la matière : «non». On l'aura compris, s'il y avait des trous dans mon emploi du temps de retraité, mon zoo personnel les comblerait aisément.

Ces dernières années m'ont fait prendre conscience que je ne suis plus aussi solide qu'autrefois. Mon aventure au Mont-Blanc me l'a douloureusement enseigné. Il y avait longtemps que je rêvais de monter sur le sommet le plus haut d'Europe. Je ne suis pas un montagnard. Mes seules incursions dans les Alpes ont été quelques randonnées avec mes enfants et de temps à autre des séjours aux sports d'hiver. Je suis d'ailleurs un skieur très moyen. Mais il faut croire que mon «exploit» asiatique m'était un peu monté à la tête.

J'avais rencontré Jean-Pierre Frachon, l'un des meilleurs guides français qui a réalisé l'exploit d'escalader les *Seven Summits,* c'est-à-dire les sommets les plus élevés sur tous les continents. J'avais lancé : «Est-ce que tu serais d'accord pour me tirer jusqu'au sommet du Mont-Blanc? Il y a longtemps que j'en rêve.» Jean-Pierre m'a donné immédiatement son accord. J'en parlai autour de moi à des amoureux de la montagne et en septembre 2004, avec trois amis, Claude, Michel et un autre Claude, nous formions deux cordées dont l'une, la mienne, était menée par Jean-Pierre.

Les jours précédents, nous avions bien fait quelques promenades avec de petits dénivelés, mais pourquoi s'inquiéter? nous étions tous sportifs et optimistes. L'ascension serait une promenade. «Surtout pour toi!», renchérit Jean-Pierre qui se fondait sur mon trajet asiatique mais ignorait que, depuis deux ans, je n'avais pas fait la moindre marche, faute de temps.

La première partie de l'aventure se déroula sans problème, et le soir venu, nous nous couchâmes pour une courte nuit au refuge du Goûter. La suite fut moins drôle. À 3 heures du matin, peu sûr de moi, en sortant dans la nuit noire et glaciale, j'entrepris l'ascension, encordé entre Jean-Pierre et Claude. Très vite, je ressentis le froid. Je souffre d'une mauvaise irrigation des mains et des pieds. Alors que le jour se levait, je ne sentais déjà plus l'extrémité de mes doigts. Mes deux compagnons, fraternellement, ouvrirent leurs anoraks dans lesquels je fourrai mes mains pour les réchauffer. Mais maladroit, je laissai aussi échapper une lampe frontale que Jean-Pierre m'avait confiée en me recommandant d'en prendre soin, car elle lui avait servi pour l'ascension de l'Everest. Nous vîmes dévaler l'objet en forme de boule qui à chaque tour lançait un éclair dans le demi-jour, puis finit sa course dans une crevasse étroite... Perdu à jamais.

La suite fut assez cauchemardesque. Asphyxié par le manque d'oxygène, les jambes lourdes, je ne parvins au sommet qu'au prix d'un effort épuisant. Si je n'avais craint de priver mon ami Claude de l'ascension dont il rêvait depuis si longtemps, j'aurais sans doute abandonné. Mais un petit reste de vanité et quelques tractions de Jean-Pierre sur la corde m'amenèrent en haut.

La montée avait été difficile. La descente se révéla infernale. Nous fîmes halte au refuge du Goûter pour rejoindre le Nid-d'Aigle afin de prendre le train à crémaillère qui nous ramènerait dans la vallée. Les jambes lourdes, proches de l'épuisement, nous apprîmes au Nid-d'Aigle que le train était en panne. Il fallait tout redescendre à pied.

Le lendemain, je ressentis une douleur légère à chaque genou. Elle fut bien plus violente dans les jours suivants. On diagnostiqua une tendinite aux deux articulations. J'appris à cette occasion que mon organisme était mieux disposé pour des efforts lents et prolongés, demandant de l'endurance, que pour des efforts violents et brefs qui nécessitent de bonnes qualités de résistance. Durant les deux années qui ont suivi, j'ai été privé de marche et a fortiori de course. Et, si le jeudi soir j'ai plaisir, quand mes activités me laissent un peu de liberté, à me rendre à la chorale dans laquelle je suis «basse», je m'en veux de ne pas aller plus souvent marcher avec mes camarades d'Arpent'Eure où j'ai tant d'amis randonneurs.

Finalement, après presque trois ans de repos forcé, j'ai repris fin 2007 les petits footings matinaux pour garder mes capacités de marche. Pas question de laisser mon organisme rouiller.

J'ai aussi quelques projets de voyages. L'été dernier, j'avais envisagé de descendre un fleuve altier, capricieux et parfois violent, depuis sa source jusqu'à l'embouchure dans l'océan. Hélas, les difficultés de Seuil puis le mariage de mon fils cadet, revenu de Corée du Sud pour convoler, m'ont obligé à différer ma promenade. Ce sera pour l'été prochain, une sorte de voyage inaugural en l'honneur de ma soixante-dixième année.

Qu'on ne se récrie pas, ce ne sera pas un exploit comparable à celui de Katsusuke Yanagisawa. À 71 ans, cet enseignant originaire de Nagano, au Japon, a escaladé l'Everest le 22 mai 2007 par le côté tibétain, en compagnie d'une équipe néozélandaise et japonaise. Il a battu un autre alpiniste de ses compatriotes, un gamin, puisque Takao Arayama, qui l'année précédente avait grimpé les 8 848 mètres du toit du monde, lui aussi sans chaise à porteurs, n'avait que 70 ans. Sans parler de Cao Zuosheng, une Pékinoise de 103 ans. Afin de détenir une forme olympique, elle parcourait depuis trois mois 300 mètres par jour en s'aidant de sa canne. Cette centenaire avait en effet une mission importante : porter la flamme olympique sur ses derniers mètres pour l'ouverture des JO de 2008. Les autorités lui ont en fin de compte préféré un ouvrier modèle. Dommage, cela aurait été magnifique et autrement exemplaire qu'un ouvrier, fût-il modèle.

Et quand trouverai-je le temps de reprendre le roman dont j'ai écrit les premières lignes tout en marchant dans le désert de Gobi, l'*Histoire de Rosa qui tint le monde dans sa main* ? – Oui, je sais, le titre est long, mais je l'aime bien. Rosa attend que je trouve un moment pour m'occuper d'elle. Un premier jet que j'ai fait lire à quelques amis a été plutôt bien accueilli. J'ai même eu des propositions de publication ou d'adaptation pour le cinéma. Mais, et c'est un privilège de l'âge de la retraite, je ne suis pas pressé, car Rosa n'est pas encore prête à paraître dans le monde. Il me reste à faire davantage sa connaissance, à entrer un peu plus dans son intimité, à pénétrer la pensée de cette femme du XIXe siècle aux prises avec la bêtise et la violence des machos de son village. En attendant notre prochain rendez-vous, elle dort sur une étagère avec quelques autres projets d'écriture, ébauchés ou promis au feu. Un documentaire sur Seuil et un film de fiction sur les adolescents mûrissent aussi lentement.

Dans mes cartons également, ma collection de «numéros 1». Pendant des années, j'ai conservé les premiers exemplaires des journaux ou magazines. J'ai l'intention d'en tapisser ma chambre, un jour – le plus lointain possible –, quand je serai en retraite. De mon lit, je pourrai faire le tour de mon histoire professionnelle et repenser à tous ces confrères qui se lançaient dans l'aventure d'un nouveau «canard».

Moi aussi, je m'y suis hasardé. Avec passion. Je me suis ruiné – même si ma fortune était petite – en lançant avec mes modestes économies un petit journal d'informations locales dans les 18e, puis 17e et enfin 19e arrondissements de Paris. J'avais la certitude que les Parisiens, comme les provinciaux, ne peuvent vivre sans être informés de ce qui se passe dans leur environnement proche. Pour moi, la «locale» est la quintessence du métier de journaliste. L'outil de base de la démocratie.

Mon journal s'appelait *Le Petit Matin*. Je l'ai porté à bout de bras pendant trois ans avec une équipe mi-salariée mi-bénévole. Ma femme s'était elle aussi jetée avec ardeur dans l'aventure. Le financement m'avait été fourni, à titre de compensation, parce qu'on m'avait «piqué» un projet que j'avais mis sur pied pour la transmission de journaux parisiens en fac-similé – qui fonctionne encore aujourd'hui. Un important groupe de presse s'était engagé à relayer mes efforts et à s'associer pour généraliser l'expérience du *Petit Matin* dans tous les arrondissements de Paris et, pourquoi pas, en banlieue. Mais, lorsque je suis revenu avec des chiffres montrant pourtant l'intérêt des lecteurs et la rentabilité du projet, le groupe en question avait changé d'avis. Et comme seule leur parole les engageait, le piètre homme d'affaires que je suis a dû mettre la clé de ses rêves sous la porte et son équipe se dispersa.

Que de rêves, dans la une d'un nouveau journal ! Que d'espoirs de scoops, d'une information différente, d'une rencontre véritable avec une opinion particulière ! J'ai pu mesurer à plusieurs reprises cet élan qui porte une équipe pendant la rédaction des numéros zéro, ces brouillons du journal futur. Et quelle émotion quand, après une soirée fiévreuse à boucler le premier numéro, on se lève de bonne heure pour aller au kiosque voir comment se présente le nouveau-né.

Je n'ai pas, hélas, conservé que des premiers numéros, j'en possède aussi des derniers. Le plus douloureux est sans doute celui de *Combat,* dont je garde religieusement l'empreinte de la dernière une, ce carton qui permettait de fabriquer la page pour la rotative. J'ai eu le triste privilège d'écrire l'ultime éditorial, le sinistre «Silence, on coule». Les journaux, comme les hommes, naissent et meurent. Ce n'est pas une question d'âge, seulement de passion, partagée ou déçue.

Qui n'a pas de projets est déjà mort. Même s'il y a fort à parier qu'ils ne se réaliseront pas tous. Il faudra trois cents ans avant que les chênes que j'ai plantés soient bons pour faire une table. Je laisserai sans doute cette tâche à mes petits-enfants ou à leur progéniture. Quant aux autres projets, qu'importe s'ils ne voient pas le jour. Ils m'auront aidé à vivre et fait trouver, heureusement, chaque journée trop courte.

Postface

Et après?

Oui... après? Bonne question à laquelle, pour l'instant, je n'ai guère de réponse. Comme l'a si bien dit Fred Astaire, ce vieillard bondissant et tournoyant : «La vieillesse, c'est comme le reste. Pour la réussir, il faut commencer jeune.» Après tout, je suis encore dans l'élan de la route de la Soie.

La vie commence à 60 ans mais ne s'arrête pas de sitôt. Danielle Darrieux, née un 1er mai 1917, un jour où l'on est censé ne pas travailler, témoigne d'une étonnante jeunesse. À 85 ans, elle accumulait les triomphes et figurait en quelques mois, aux génériques de *Persépolis*, *L'Heure zéro* et *Patate*. Il n'y a pas si longtemps, Henri Salvador, qui avait dépassé depuis longtemps les 80 printemps, sortait un nouvel album d'une surprenante vitalité pourtant intitulé *Jardin d'hiver*. N'allez pas vous demander pourquoi Jeanne Moreau, qui fut l'une des plus belles femmes de sa génération, crève encore l'écran malgré le poids des ans. Tenir l'affiche n'est pas une affaire d'années mais de talent.

Et si je me suis mis à écrire à l'âge où l'on est censé ne plus travailler, je ne suis pas le seul. L'un des livres les plus marquants de la littérature féminine, *The Bookshop* (paru en français sous le titre de *L'Affaire Lolita*) a été écrit par la Britannique Penelope Fitzgerald à plus de 60 ans. Il existe tant d'exemples qu'il serait trop long de citer ici.

L'action, c'est d'abord une question d'énergie. À 70 ans, je suis certes un peu plus vieux, mais je ne suis pas du tout prêt à être «retraité». Je m'étais retourné sur les soixante premières années de ma vie en me dirigeant vers Compostelle voici maintenant dix ans. Je m'interroge aujourd'hui sur la décennie qui s'achève. Qu'ai-je fait pendant ces dix ans ? Avec quel résultat pour les autres et pour moi ? Quelles erreurs, quelles réussites ? Mon objectif de vivre «utile» a-t-il été atteint ? Ce bout de vie dont je suis le seul responsable m'apportera-t-il des regrets ou du bonheur lorsque, me balançant lentement sur mon fauteuil à bascule, je me remémorerai, faute de pouvoir en vivre de nouvelles, mes découvertes de retraité. En un mot, suis-je meilleur aujourd'hui que voici dix ou cinquante ans? Une certitude en tout cas, chacune de mes aventures – la route, l'écriture, Seuil – m'a apporté son lot de bienfaits et de difficultés que j'ai, le plus souvent, réussi à surmonter.

Je suis tous les jours plus convaincu qu'il est peu intéressant de s'occuper de soi-même et passionnant de s'occuper des autres. Notamment de ceux à qui le destin a fait un croc-en-jambe et qui ne pourront se relever tout seuls. Il y a peu, j'entendais un ancien SDF [1] sauvé par le compagnonnage Emmaüs et militant à ATD quart-monde qui avouait : «S'en sortir tout seul, c'est mission impossible.» Si c'est impossible pour des adultes, comment le serait-ce pour des adolescents?

S'en sortir seul... Dans un Occident qui se laisse doucement glisser sur la pente enivrante de l'individualisme, beaucoup pensent pouvoir le faire. Quelle illusion! Il faut constater que, pour les jeunes en particulier, le mot «fraternité» qui figure au fronton de nos palais nationaux est un terme un peu abscons. Faute d'amis, la fraternité aujourd'hui s'achète. C'est la facture des multiples assurances

1. Journal de France Inter. Journée internationale contre la misère, octobre 2007.

qui nous protègent de toutes les blessures de la vie. Sauf de celles de l'âme.

Les vieux ne doivent pas être partie prenante dans l'égoïsme ambiant. D'abord parce que leur expérience de vie leur a fait toucher la vanité du chacun pour soi. Ils le pensent mais ne le disent qu'à voix basse. Il faut que leur voix porte. Ce n'est pas le cas actuellement tant le mot «vieux» est dévalorisé et le rôle des «seniors» instrumentalisé par le marketing et la politique. Dans une interview prémonitoire, Michel Serres, que j'ai déjà cité dans *Longue marche,* dit à ce sujet : «Ce seront peut-être eux qui seront les plus écoutés [...]. Ils n'ont qu'à se faire entendre [...]. Les gens âgés ont toutes les cartes en main pour que revienne un peu de la beauté dans un monde qui s'enlaidit tous les jours.»

Oui, les vieux ont toutes les cartes en main. Il faut qu'ils en prennent conscience et si ce livre ne devait avoir qu'un seul objet, ce serait celui-là. Les cartes dont il est question, ce ne sont pas celles des parties de belote ou de coinchée âprement disputées dans les clubs du «troisième âge» si volontiers visités par les élus en mal de réélection. Pas question de se conformer au rôle muet de consommateurs béats ou d'électeurs dociles. Pas question de se laisser déporter dans les «parcs à vieux» construits dans le sud de l'Espagne, ou manipuler par les as du marketing qui se ruent sur le «marché» de ces retraités, si riches, si malléables et si bons électeurs.

Si, nous les vieux, nous nous laissons enfermer dans ces rôles, alors se profilera la «guerre des âges». Celle des vieux cons contre les jeunes cons, comme disait Brassens. Les premiers useront de leur poids pour augmenter leurs privilèges et leurs retraites. Les seconds refuseront de payer toujours davantage avec une perspective de plus en plus lointaine de toucher les dividendes de leur investissement. Je propose plutôt d'instaurer des «petits ponts». Ces passerelles de fraternité que, disposant du temps et de la sagesse, nous pouvons tisser entre les hommes et les générations. Instruits par le temps d'une vie, par soixante ans d'expérience, les aînés sont plus fraternels même s'il reste quelques «tontons» ou «taties» Danièle, égoïstes et méchants.

Il faut sans doute une vie pour comprendre que le don, c'est d'abord un cadeau fait à soi-même. Nous y gagnons, nous les «inactifs», l'estime de soi et des autres, le bonheur de construire. C'est déjà le cas. Les bénévoles retraités donnent 908 millions d'heures chaque année [1]. Le don est sans doute le

---

1. Étude annuelle de l'Oxford Institute of Ageing (2007) menée dans 21 pays par l'Université d'Oxford et HSBC. Les 60-69 ans donnent de 4 à 5 heures par semaine, les 70-79 ans entre 3 et 6 heures.

seul domaine où l'égalité est parfaite : qu'est-ce qui distingue le temps donné par un sénateur ou un terrassier à la retraite, de celui d'un milliardaire ou d'un fonctionnaire des impôts ? Il faut, comme le dit Stanislaw Tomkiewicz [1], pratiquer le « don maximum d'affectivité ». En cette matière, les réserves que nous avons sont inépuisables. Rien à voir avec le mercantilisme ambiant du « qu'est-ce que tu me donnes si je te donne… ».

Une étude [2] montre cependant que les retraités ne sont que 23 % à s'impliquer dans la vie associative. On peut d'ailleurs s'étonner que les cadres constituent les gros bataillons des bénévoles actifs. Pressurés par un système productif de plus en plus exigeant, ils sont malgré tout plus nombreux à trouver le temps de s'impliquer dans la vie associative que les seniors qui, eux, disposent de loisirs extensibles à souhait.

Un grand nombre de retraités s'investissent dans un domaine qu'ils connaissent bien. Ainsi, la plus grande association de retraités est celle des Aînés ruraux – 740 000 adhérents –, qui comme le nom l'indique, se regroupent dans les campagnes afin de compenser le vide culturel qui leur est offert.

1. *Histoires à rêver debout*, éditions Le Pli, Paris, 2003.
2. Menée par France Bénévolat et le CERPHI, 2007.

Beaucoup d'associations sont le fait d'individus ayant un fort potentiel technique et qui, la retraite venue, souhaitent proposer leurs savoirs à des pays ou des organismes, sans pour autant concurrencer le secteur professionnel.

Donner n'est pas tout. C'est aussi par l'exemple que les aînés doivent agir sur le monde. Ils savent, eux, que la lenteur est le meilleur antidote à la terrible pression que la vie moderne impose à tous. Bien que pour eux le temps, ce temps qui les sépare des adieux, soit terriblement raccourci, ils savent les bonheurs de la lenteur. Il est admis que les personnes âgées croyantes doivent se préparer à l'éternité. Je n'ai rien contre, mais laissons une petite place au présent et aux vivants. Si on écoute les anciens, l'humanité n'ira pas se jeter dans le mur, de toute la vitesse qu'on veut lui imprimer. Encore faudrait-il qu'ils s'assument et prennent conscience de leur force. Qu'ils sortent du ghetto dans lequel la société occidentale les a enfermés. Pourquoi «vieux» serait-il un terme péjoratif et «jeune» un mot positif, paré de toutes les vertus? «Jeune» n'est pas synonyme de «beau» et «vieux» de «moche», sinon pour ceux qui n'ont rien compris à la vraie beauté, celle qui sourd des âmes. Dans une société adulte, les vieux doivent tenir toute leur place, mais certainement pas toute la place.

60 ans, c'est l'heure du dessert au banquet de la vie. C'est le bouquet final du feu d'artifice que constitue une existence. Il a fallu cette longue course pour cicatriser les blessures reçues et apprécier les bonheurs offerts ou gagnés. À 60 ans, une nouvelle vie s'ouvre devant nous. Remplissons-la du mieux possible. L'avenir nous appartient et nous en goûterons chaque molécule, en gourmets. Quant au mot «retraite», il sera bien temps de le caresser, lorsque nous nous retirerons dans la grotte du temps. Et qu'on ne me demande pas de répondre à la belle question de Brassens, qui fut l'idole de ma jeunesse, mon professeur de non-conformisme : «Est-il encor debout le chêne / Ou le sapin de mon cercueil?» Je viens d'en planter, des chênes, des hêtres et des merisiers, quelques sapins aussi. Ils seront bons à couper dans deux ou trois siècles.

D'ici là, j'ai tout le temps d'y penser.

TABLE

SEUIL

L'association Seuil créée par Bernard Ollivier propose à des adolescents en grande difficulté des longues marches de rupture (2 000 km).

Seuil travaille en symbiose avec les services départementaux de l'Aide sociale à l'enfance ou du ministère de la Justice (Protection judiciaire de la jeunesse). Certains jeunes menacés d'enfermement peuvent accomplir une marche plutôt que d'aller en prison ou en centre éducatif fermé (CEF). Néanmoins, des marches sont aussi proposées de manière préventive pour des jeunes en difficulté qui ne trouvent pas dans les structures classiques de solution à leur mal-être.

Seuil – Association (loi 1901)
31, rue Planchat
75020 Paris.
Tél. : 33 (0)1 44 27 09 88
Fax : 33 (0)1 40 46 01 97
Courriel : assoseuil@wanadoo.fr
Site internet : assoseuil.org

Aux Éditions Phébus

En littérature française

Sur le chemin des Ducs, récit, 2013.

Histoire de Rosa qui tint le monde dans sa main, roman, 2013 ; Libretto n° 469, 2014.

Aventures en Loire : 1 000 kilomètres à pied et en canoë, récit, 2009 ; Libretto n° 384, 2012.

La vie commence à 60 ans, récit, 2008 ; Libretto n° 394, 2012.

L'allumette et la bombe. Jeunes : l'horreur carcérale, essai, 2007.

Carnets d'une longue marche : nouveau voyage d'Istanbul à Xi'an, avec des aquarelles de François Dermaut, coll. «Beaux-livres», Phébus, 2005 ; Point Seuil n° 2 149, 2009.

Nouvelles d'en bas, nouvelles, 2001 ; Libretto n° 404, 2013.

Longue marche : à pied de la Méditerranée jusqu'en Chine par la route de la Soie (récit en 3 volumes)

  Traverser l'Anatolie, tome 1, 2001, Libretto n° 192, 2005.

  Vers Samarcande, tome 2, 2001, Libretto n° 193, 2005.

  Le Vent des steppes, tome 3, 2003, Libretto n° 194, 2005.

Aux Éditions Érès

Marcher pour s'en sortir, un travail social créatif pour les jeunes en grande difficulté, 2012.

*Cet ouvrage
a été mis en page par In Folio,
reproduit et achevé d'imprimer
en mars 2016
dans les ateliers de Normandie Roto Impression s.a.s.
61250 Lonrai
Nº d'imprimeur : 1601183*

Imprimé en France

Dépôt légal : septembre 2012